私らしい言葉で話す

自分の軸に自信を持つために

SHOWKO

CCCメディアハウス

はじめに

「私らしい言葉」で人生は豊かになる

「自分の言葉がある人」と聞いて、どんな人を思い浮かべるでしょうか？

「SNSで発信する言葉に力があり、つい最後まで読ませる人」
「プレゼンテーションで多くの聴衆の心をぐっとつかめる人」
「適切に議論ができて、無駄なケンカにならない人」
「ウイットに富んでいて、真面目な話を面白く伝えられる人」
「人の話をよく聞き、的を射た相槌が打てる人」
「話した後、周りをとてもポジティブな気持ちにする人」

そんな「周囲を魅了する言葉」を持つ人でしょうか。

販売の仕事をしている私の友人は、お客さんと話していると必ず「笑い」が起き、自然と場が和みます。特に何かを買うつもりではなかったお客さんが、結果として買いものをして帰られることもあります。彼女は必ずしもセールストークをしているわけではありません。そうではなく、お客さんを楽しませています。

また、ある友人は、写真にコメントを付けてSNSにアップしていますが、その言葉に救われる人がいて、たくさんのフォロワーがいます。でも彼は、誰かを救うために投稿しているわけではありません。自分の体験から気づいたことを言葉にしているだけ。やがて、投稿が徐々に一人歩きして、人の心に響くようになりました。

他にも、会議での発言が、みんなが見落としていた本質的な投げかけとなり、仲間に重宝されている友人もいます。

友人3人のケース、シチュエーションはさまざまですが、言葉で人の気持ちを動かし、行動を変化させているという共通点があります。

人付き合いがうまくて社交的だから、プレゼンテーションがうまい。

「自分の言葉」があるのは、前向きな性格のせい。

そう思っていませんか？

決してそうではありません。

「自分の言葉」がある人が必ず持っているもの、それは社交性や前向きな性格ではなく、「自分の軸」です。自分の言葉、つまり私らしい言葉とは、「自分らしいフレーズ」です。

では、そもそも言葉とは何でしょうか？　それは大まかに三つの役目があります。

まず言葉とは思考するための利器です。

私たちは、言葉を使って考えています。

自分も、自分を取り巻く世界も言葉にして捉えています。

たとえば、この本を読んでくださっているまさにいま、あなたの脳内ではここに書かれた文章が再生されていませんか？　同じように、人と対話するときも、アイデアを練るときも、何かに感情が動くときも、私たちは無意識に言葉を使って、想いや考えを巡らせています。

二つ目に、言葉とは情報伝達の手段です。

人と人とをつなぎます。

誰かの対話を聞いていて「もう少し違う表現をしたら、よりうまく相手に伝わるのに」と感じたことはありませんか？　言葉の使い方一つで人間関係が良好になることはよくありますし、仕事の企画が通ることだってあります。

そして、最後に言葉とは世界を変える原動力です。

言葉が持つ、いちばん大きな力です。

自分や周囲の人たちに前向きな言葉をかけていると、その言葉に鼓舞され、良い循環がはじまります。言葉が皆をしあわせにします。使い方次第で、自分を取り巻く世界や、その未来まで良いものに変えてしまうのです。言葉は、そんな可能性を秘めています。

では、いったいどうすれば、「私らしい言葉」を得ることができるのでしょうか？「私らしい言葉」は、自分が得てきた語彙（単語／ボキャブラリー）と、実際に積んできた経験から、発見され、磨かれていきます。語彙だけでも、経験だけでもいけません。その両輪、すなわち身に付けてきた「語彙」を使って、いままでの「経験」を言語化する。それが「私らしい言葉」を得るということです。

さらに、経験を言葉にしていくとは、どういうことでしょうか。それは、経験から生まれたすべての感情をきちんと味わうことです。経験に全身で向き合い、感じ、それを言語化し、学びや知恵、今後の教訓として落とし込んでいきます。そうであるからこそ、言葉とは「自分の人生に向かい合ってきた証」だと、私は考えています。そして、言葉の解像度は必ず、その人の思考の解像度に比例します。

写真を撮るとき、解像度が高くなるほど、そこに写し出される世界は鮮明になります。解像度が低いと、世界は粗くぼんやりと写し出されます。その解像度のようなものが言葉についても存在すると思うのです。正確かつ詳細に世界を捉え、写し出そうとする言葉、つまり解像度が高い言葉を使う。そのように心がけていくことは、世界のディテールをよく観察し、感じ、思考することと同義です。

「私らしい言葉」とは何か、輪郭が見えてきたでしょうか?

「私らしい言葉」を持つとは、何もゼロから新しい語彙をつくり出すという意味ではないと、おわかりいただけたらと思います。

本書は「私らしい言葉」を身に付けて、人生を豊かにするためのヒントを書きました。

第1章では、「私らしい言葉」について掘り下げながら、「私らしい言葉」を身に付けるうえで必要な一つ目の要素「語彙力」「表現力」の磨き方について説明しています。

第2章では、自分と真摯に向き合い、自分のことをよく知るための方法をお伝えしています。「経験」は「私らしい言葉」を身に付けるために必要な二つ目の要素ですね。語彙だけが豊富でも、自分という人間の核が弱いと、結局言葉は薄っぺらいものになってしまいます。

第3章では、目を自分の内から外に向けて、世界を自分なりの軸で捉える方法を考えました。シンプルに言うと、感性のある人になる方法です。ここまでが「思考するための利器としての言葉」についてです。

第4章は「私らしい言葉」を人と分かち合う技術について。対話の技術、コミュニケーションの技術です。「情報伝達の手段としての言葉」を掘り下げています。

そして、第5章では、「私らしい言葉」を持ち、感性豊かに生きることで、自分も周りも、そして世界もしあわせになるという話をしています。「世界を変える原動力としての言葉」です。

この本はきっと、特に次のような方のお役に立てるはずです。

✓**感性を活かす仕事をしている方**
↓感性をより高め、一緒に成長していきましょう！

✓**仕事やプライベートで、うまく伝える力を身に付けたい方**
↓感性を磨くことで、それを伝える言葉の力が養われます

✓**自分に自信が持てない方**
↓自分なりの感性に気づくことは、自分の強い軸を持つことです

✓**ネガティブな感情に流されがちな方**
↓感性豊かに世界を観察できるようになれば心が安定します
✓**豊かな人生を歩みたい方**
↓自分の感性と言葉を磨く努力をすることは自分を豊かにすることです

ぜひ「あなたらしい言葉」を発見してください。その言葉があなたの自分の軸を定め「あなたの魅力」を引き出すことになれば幸いです。

「言葉」はあなたの人生の軌跡です。

そして、人とあなたをつなぐ橋です。

「私らしい言葉」を育てていくこと。

ぜひ今日から一緒にはじめてみましょう。

もくじ

第1章

軸がある人は「私らしい言葉」の価値を知っている

第2章 自分と向き合えば「私らしい言葉」が起動しはじめる

第3章

感性のある人は「私らしい言葉」で世界を捉えている

第4章 「私らしい言葉」を持てば人と深くつながる

第5章 「私らしい言葉」で自分を認め、世界に心を開く

第1章

軸がある人は「私らしい言葉」の価値を知っている

言葉の力は人を動かす

言葉は「人とあなたをつなぐ橋」であると「はじめに」で書きました。
そのとおり、言葉はコミュニケーションの道具の一つです。

しかし、どのように言葉という道具を使うとよいのでしょう。
感性のある人は「私らしい言葉」で語ることを大切にしています。なぜなら、言葉はいちばん身近にある、感情や価値観を表現できる手段だからです。

たとえば、営業マンが商品をお客さまに勧めるとき、言葉で商品の魅力を伝えます。単純な商品説明なら、マニュアルさえ覚えれば誰にでもできます。しかし、その商品がお客さまの未来をどのように変えるのか。それを説明する心に響く表現は、マニュアルを覚えるだけで身に付けることはできません。

起業家が事業をはじめるとき、人にコンセプトや事業計画を話します。どのように伝えるかによって、そして、その言葉がどのように人の心に届くかによって、聞いた人の行動は変化するのではないでしょうか？

顧客になりたいと思うかもしれませんし、応援したくなり、一緒に働きたいと思うかもしれません。可能性を感じ、出資をしてくれるかもしれません。

その起業家が使った言葉を通して、彼／彼女の価値観に共感するからです。

自分は同じことをできないけど、その人を応援したい。

その人の描く未来を一緒に見たい。

そんな思いが、人を能動的に動かします。

想像してみてください。「何を考えているかわからない」人に対して、自分の大切な時間やお金を使うことはできません。その人の価値観に共鳴し、その人に信頼が置けるから、自発的に動く気持ちになるのです。

仕事だけではありません。プライベートでも同じことが言えます。自分の大切でデリケートな感情を、相手に丁寧に伝えようとするからこそ、信頼関係が育まれていきます。生涯のパートナーとして、その人と一緒にいよう。そういう大きな決断も、相互の信頼関係の一つの結果ではないでしょうか。

人を動かすには信頼を得ることが必要です。信頼を得るために、自分の経験から培われた「私らしい言葉」が必要なのです。

感情をうまく伝えられない理由

外国語を学んでいるときに、いちばん欲求不満が募るのは、自分のアイデアや感情を的確に相手に伝えられないときではないでしょうか？

伝えられないことが欲求不満につながるのはなぜでしょうか？

それは、感情と言語に、解像度の差があるからです。

心のなかにある繊細な感情（＝解像度が高い）を表現するための語彙力を持ち合わせて

いない（＝解像度が低い）ため、粗い表現になる。その差を認識したときに、思ったことが伝えられていない、私の心情はこんなものではないという、もどかしさにつながります。「好きだけど会いたくない」「ほっとしているけれど寂しい気持ちもある」というようなはっきりしない心情を伝える場合も、その複雑な感情を正しく表現できないと不満が募ります。

また逆に、きちんと自覚できていない感情やこれまで味わったことがない感情（＝解像度が低い）は、母国語でもまだちゃんと言語化できていないので、もちろん外国語で表現するのは難しいでしょう。

たとえば、なんでも「ヤバい」と表現する人がいます。

朝寝坊して「ヤバい」。
上司に怒られて「ヤバい」。
彼氏と別れそうになって「ヤバい」。
すごく美味しいものを食べて「ヤバい」。

推しのアイドルのコンサートに行って「ヤバい」。

この5つの「ヤバい」は、しかし、すべて違う感情です。

朝寝坊して「ヤバい」は、焦り。
上司に怒られて「ヤバい」は、動揺。
彼氏と別れそうになって「ヤバい」は、憔悴。
すごく美味しいものを食べて「ヤバい」は、喜び。
推しのアイドルのコンサートに行って「ヤバい」は、恍惚や崇拝。

このように、自分の感情の正体を的確に認識するためにも、それを表現する語彙を学びたくならないでしょうか。多様な感情に匹敵する豊富な語彙を知る。すると、その表現は色鮮やかになります。

自分の心をきちんと感じる「感性の解像度」を上げ、自己認識し、それを人に細かな表現で伝えるために、多様な語彙を身に付け「言葉の解像度」を上げることが必要なのです。

語彙が増えれば、表現力が増す

　では生まれてこのかた、私たちはどのように言葉を学んできたのでしょう。

　誕生した赤ちゃんは、まず、近くの大人が自分に向かって発してくれる言葉を頭のなかにどんどん貯め込みます。それが、口から表現としてあふれ出てくるのが、２歳頃。そこから言葉でのコミュニケーションがはじまります。

　やがて５、６歳頃からは、文字を覚えはじめます。読書や対話を通して、どんどん語彙が増えていきます。言葉で傷付けられたり、逆に救われたりする経験をするかもしれません。こうして周りのさまざまな刺激から得た経験をもとに、自分の使う言葉はさらに磨かれていきます。

　幼少期に身に付けた、思考のベースになる言葉を「母語」といいます。私ならば、日本語です。多言語話者でも、どれか特定の母語を用いて思考しているのだそうです。私たちは「母語」を通して、ものごとを考え、自分のなかに体験を取り込んでいきます。人格形成にも使われる大切な言語です。

さて、あなたは普段、人との対話でどのような言葉づかいをしていますか？

たいてい私たちは、対話する相手によって表現を変えています。仕事中は仕事用の言葉、友人とは気さくな言葉、恋人の前では……、というように感覚的に言葉を使い分けていま す。私という一人の人間であっても、相手に合わせて言葉を使い分けていて、さまざまなバリエーションを持っているわけです。そのバリエーションは多いほど豊かですよね。

料理をするとき、調理道具はたくさんあるほうが、料理の幅が広がります。それと同じで、語彙もたくさんあるほうが、表現の幅が広がります。表現を豊かにするために、語彙を増やしていきましょう。

語彙を増やすには、まずは言葉と触れ合う回数を増やすことです。

語彙は、インプットなしには育ちません。

「量より質」という言葉があります。しかし、それはどうでしょうか。少なくとも言えること、それは、「量で質は高まる」ということです。

自分のなかだけで完結する独り言や内省だけではなく、人と話したり、読書や映画を楽しんだりして、たくさんの言葉に触れることが語彙を増やすいちばんの近道です。共感できた言葉や、胸に響いた言い回しがあれば、どんどん取り入れていきます。
たとえば親しい友人や仕事仲間と話しているうちに、その人の話し方や、自分は普段使わないけれど、その人がよく使う単語がうつって、気がつくと似た話し方をしていた。そんな経験をしたことはありませんか？

あるとき、まるでおばあちゃんのようなトーンで話す、4歳の男の子がいました。少し話すうちに、その子はよくおばあちゃんの家に預けられていて、そこに集まる町内のシニア層の方々とおしゃべりをしていることがわかりました。
それほど、人は普段話している人たちの話し方や言葉を吸収し、自然と自分のものにしていきます。ですからそれを、あえて意識的に取り入れてみてはどうでしょうか。積極的に真似をしていくのです。

読書や映画鑑賞は、自分が普段使わない語彙だけでなく、素敵な言い回しも吸収できるのでおすすめです。

物語のなかに入ると、もう一つの人生を生きることができます。自分とは違う誰かのキャリア、恋愛、結婚、失恋、友情、家族関係などをなぞることができます。現実で味わうと心の回復に時間がかかってしまうようなことも、フィクションのなかでは小さな負担で疑似体験できます。登場人物の気持ちに寄り添い、そのときの心からの言葉や表現を学ぶことができます。

また、ツイッターなどのＳＮＳで、自分にはない表現をする人や、言葉が素敵だと感じる人をフォローしてみるのも良いですね。

ツイッターの場合、１４０字という短い文章で表現します。その文字数に、状況、感情、メッセージを込めて伝えるのは簡単なことではありません。そして、文字制限があることによって、ツイッターというＳＮＳは独自の進化を遂げてきたように思います。悲劇を喜劇として表現してみたり、あえて大げさに表現してみたり。そこには数々の流行、「ツイッター構文」とも言える文体が生み出されてきました。

ＳＮＳであなたに響く文章はどんなスタイルの文章でしょうか？

「言葉の表現力」を磨くために、たくさんの道具（語彙）を手に入れ、それをどんどん自分のなかに取り入れて、発信してみましょう。さまざまな道具を使いこなすことで、表現が豊かになっていくはずです。

神は細部に宿る　言葉とはその人そのもの

「神は細部に宿る」とは、ドイツの建築家ミース・ファン・デル・ローエの言葉だと言われています。

ディテールにこだわった丁寧な作品には作者の強い哲学が込められており、作品の細部に込められた思いが作者本人のように雄弁に語り続ける——というような意味だと私は捉えています。

「神」と表現したのには、諸説あるはずですが、神とは「永遠に残る力」という意味にも置き換えられるのではないかと思っています。細部に哲学を込めることで、「永遠に言葉（概念）として残る」という意味でしょうか。

建築家であるミースの言葉だとしたら、大きな建築物を指して、小さなディテールがものを言うということでしょうが、これは建築物だけではなく、どんなことにもつながる非常に含蓄のある言葉です。

私は建築物よりもずっと小さな器や絵を制作する仕事をしています。小さな作品は人との距離が近くなります。大きな建築物より、ずっと近くに寄って見たり、手に取ったりすることになります。ですから、文字どおり細部に気をつけなくてはなりません。

このように「細部」とは、ものと人の距離によっても、変わってきます。

「言葉」も同じです。

言葉の美しさも細部に宿ります。そして、人と人の関係、距離によって、適切な表現があるように思うのです。

よく知らない人には、誤解が生まれないよう丁寧な言葉で話す。

よく知る人には、「ある程度わかってくれている」と信頼し、気さくな言葉で話す。

こんなふうに相手との距離を測って話すのはよくあることです。しかし、私は、場合によっては逆も然りだと考えています。よく知る人、関係が深い人ほど、信頼があります。だからこそ、丁寧に言葉を紡ぎ、キャッチボールをする。そうした態度も大切にしたいですね。

毎日、新たな気持ちで、丁寧につながり直す。そんな関係を育みたいものです。

言葉の原石をつかむには

「自分の言葉」を得るには、あなただけのオリジナルの《言葉の原石》を見つけることです。《言葉の原石》、それは「自分の言葉」や表現を生み出すもととなる、自分らしさ、自分の軸、自分の思想のなかに眠っています。《言葉の原石》を掘り出せるかどうかは、いままで心のなかでどれだけ自分の経験を熟成させてきたかが関わってきます。経験と向き合う方法、内省の技術については第2章で詳しく説明しますが、自分らしい感情や思考をかゆいところに手が届くような言葉で言えたとき、さらに深く自分が理解できます。

たとえば、ここ10年ほどでよく耳にするようになった「多様性」という言葉から、自分の《言葉の原石》を掘り出してみましょう。

一般に、多様性とは、年齢、性別、人種、宗教、趣味嗜好など、さまざまな個性や属性を持つ人たちが集まった状態のことを指します。さまざまな個性や違いを理解し、認めていく。それぞれの個が引き立つ社会をつくっていく動きから、最近では「ダイバーシティ・インクルージョン」「多様性を認める」といった言葉やフレーズも、いたる所で見かけます。

では、この「多様性」を別の言葉で定義してみてください。

「多様性を認めることは○○である」という文章をつくるとき、○○にはどんな言葉が入るでしょうか？　○○に入る自分の言葉、《言葉の原石》を掘り出してみてください。

「何か」を表現しようとするときのもととなる《言葉の原石》は、「その何かの理解度」にも関係しています。

たとえば、ここでは「何か」は「多様性」ですが、ほぼ単一民族国家の日本に住んでいると、他の文化や習慣の違いを知る機会も少ないので、別の民族固有の習慣に対する理解度が低いかもしれません。また、民族や人種の違いだけでなく、ＬＧＢＴＱ＋といった人それぞれの性的指向や性自認の違いについても、当事者性があるかないか、知人や友人が周りにいるかどうかで理解度がずいぶん変わります。

「多様性を認める」という言葉は、本来はどういう意味なのかを、自分なりに深掘りしていくなかで、得られる解釈は人それぞれです。

私の場合、「多様性を認めるとは『尊厳を認めること』である」という言葉が浮かびました。

尊厳を認めるとは、その人の考え方が完璧に理解できるわけでなくても、完全に共感できるわけでなくても、むしろまったく反対の立場であっても、その人の存在を認める、ということです。これが「多様性」について語ろうとするときの《私の言葉の原石》です。

他にもいろんな答えがあるはずです。

心で《言葉の原石》をつかめるまで、一つの言葉の定義をしっかり考えてみてください。

言葉の原石を磨くには

自分の心のなかから掘り出した《言葉の原石》は、他者との対話を通じて、さらにどんどん磨かれていきます。逆に言うと、他者との対話なくして、その原石が人と共有できる言葉になっているかを確認することはできません。対話をくり返し、人に伝わる言葉や文章に磨いていくことが必要です。そうした推敲の過程と結果こそが「自分の言葉」を得るという作業です。

私は本を執筆するようになって、自分がいかに人に伝わりにくい、独りよがりな表現をしていたかを思い知りました。ハイコンテクストで話せる人としか対話をしていなかったと、思い知らされたのです。

ハイコンテクストとは、文化や知識などの共通認識が大きく、言葉以外の表現に頼るコミュニケーション方法です。家族、同郷、同じ国のカルチャーで育った人どうし、いわゆる暗黙の了解が多い人との対話を思い出してみてください。

私の場合であれば、京都生まれ、陶芸家やアーティスト、代々継いでいく家に生まれた、といった属性が揃えば、共通認識のとても多い人になります。共通認識が多ければ、ある程度の文脈を飛ばしても、互いの伝えたいことが理解、あるいは想像しやすくなります。

反対にローコンテクストとは、共通認識の少ない人です。その場合は、文脈を飛ばすと伝えたいことが伝わらないということが起きます。

自分と違う国で生まれ育った人など、文化背景の違う人とコミュニケーションを取るには、丁寧に話しながら、自分の《言葉の原石》が伝わっているかを確認していく必要があります。

《言葉の原石》を、他者とも共有できる「私らしい言葉」にするためにも、人とたくさんの対話を重ね、相互理解の経験を重ねていきたいですね。《あなたの言葉の原石》はより研ぎ澄まされ、やがて豊かな「あなたらしい言葉」になっていきます。「私らしい言葉」を得るとは、他者との相互理解が深まるということにもつながっています。

比喩力を高める　「～のような」でみんなに伝わる

まだうまく「私らしい言葉」に昇華できない、粗削りな《言葉の原石》を磨く方法について考えてみましょう。「私らしい言葉」にし、人と共有するための表現のコツです。人との対話で「何か」を説明するとき、私たちは皆、修飾語を用いています。それにより「何か」にディテールが与えられ、具体化され、わかりやすくなります。

たとえば、いちばん簡単、かつ誤解のない方法として、数字を追加するという方法があります。「熱いお湯」ではなく「沸騰した100度のお湯」、「長い期間」ではなく「10年の間」と表現します。

数字は万国共通なので、誤解を最小限にすることができますよね。よく知らない人どうしや、ビジネスの現場では、なるべく齟齬《そご》を避けたいので、共通の尺度を持ち込む際に、数字はとても便利です。

ただ、数字は少しドライというか、情緒に欠けるというイメージがあります。そこで、比喩表現の修飾語を追加するという方法があります。言葉の感覚が洗練されている人は、とても上手に比喩表現を用いて説明します。比喩を使うと、相手に映像的にイメージしてもらいやすくなりますし、表現そのものにも情緒が与えられるからです。

たとえば、童話「白雪姫」の冒頭で、白雪姫の容姿を表現するくだりがあります。「肌は雪のように白く、髪は黒檀のように黒く、唇は血のように赤い」という比喩表現です。肌と髪と唇の色を表現するのに、「雪」「黒檀」「血」という一般的に皆がイメージできる言葉を用いています。これによって、誰にでも白雪姫の容姿が具体的にイメージできるようになります。

日常でも、私たちはよく、「〜のような」「〜みたいな」といった言葉を使って会話します。初めて会うので共通理解がまだ少ない人や、説明しようとする事象について詳しくない人との対話では、比喩を使うことで一般的なイメージに置き換えることが必要になります。

「そこに車が停まっていた」
「その人は、青い目をしていた」
「私は笑った」
「ぼくは歩いた」

この4つのフレーズに、比喩表現を交えて、文章を完成させてみてください。初対面の人に、よりわかりやすく説明を補足する形で表現するならば、どのような文章になるでしょうか？

「そこに《リンゴみたいに真っ赤な》車が停まっていた」
「その人は、《南国の海のような》青い目をしていた」
「私は《子どものように》笑った」
「ぼくは《牛みたいに》歩いた」

より具体的に、色、形、重さ、情景などがイメージされます。

さらにもう一歩踏み込んだ比喩表現として、心象風景のように比喩する方法があります。心象風景とは、現実ではなく、心のなかに思い描いた景色のことです。
先ほどの4つのフレーズに追加してみましょう。

「そこに《くたびれたブルドッグのような》車が停まっていた」

「その人は、《夢で見たしあわせの鳥のような》青い目をしていた」
「私は《壊れて止まらなくなったおもちゃのように》笑った」
「ぼくは《夜勤明けの労働者のような重い足取りで》歩いた」

このように表現すると、どのように感じるでしょうか？

販売の仕事をしている知人は、よく仕事で比喩表現を使うと言います。「手をナイフで切られたかなと勘違いするほど寒い日でも、この手袋はまったく寒く感じません」と言われると、感覚的にその手袋の性能がわかります。

「母親に手をつながれて、ポケットに手を入れてもらったときのような安心感」と言われると、温かさだけでなく、精神的な心地よさまでもが伝わります。

こうした比喩表現での補足は、数字での補足の正確さよりもずっと抽象的です。確かに手袋の素材テストのデータは「温かさ」の数字的な裏づけになるかもしれません。具体的です。しかし、心が動かされるのはどちらでしょうか？

人の心を動かす比喩表現は、伝わるだけでなく誰かの行動まで促します。そして、もっと文学的に何かを表現しようとするとき、比喩表現には、自分の感性を詰め込むことができます。

文学的な比喩　わからないようでわからせる

文学では、誰にでもできる具体的な修飾語よりも、その作家にしか思い付けない、はっとするような比喩表現が好まれます。比喩表現が素敵な小説家といえば、やはり私は村上春樹さんを思い出します。村上春樹さんの作品で使われる比喩は独特です。本来、わかりにくい何かを説明するために用いるのが比喩表現です。しかし、村上春樹さんは、「わかる」と「わからない」のちょうど間を狙ったような表現を使われることがよくあります。それは、論理での理解の域を超えた豊かな世界です。誰にも真似できない独特の比喩表現に、簡単に理解がおよばない村上春樹さんの感性が滲んでいるのが感じられます。

『世界の終りとハードボイルド・ワンダーランド』には、こうあります。

私は受話器を置いてから、もう二度とあの娘に会えないことを思って少し淋しい気持になった。まるで閉館するホテルからソファーやシャンデリアがひとつひとつ運びだされているのを眺めているような気分だった。

閉館するホテルから実際に家具が運び出されるところを見た経験がある人は少ないでしょう。しかし、村上春樹さんは、ものごとの終焉の自分の力では止めることができないやるせなさを、このように表現されているのです。

『ノルウェイの森』には、こんなくだりもあります。

私、辛いことがあるといつもそう思うのよ。今これをやっとくとあとになって楽になるって。人生はビスケットの缶なんだって。

人生の比喩として、ビスケットの缶？　ちょっとした謎かけのようですが、文章はさらに続きます。

「人生はビスケット缶だと思えばいいのよ」（略）

「ビスケットの缶にいろんなビスケットがつまってて、好きなのとあまり好きじゃないのがあるでしょ？　それで先に好きなのどんどん食べちゃうと、あとあまり好きじゃないのばっかり残るわよね。私、辛いことがあるといつもそう思うのよ。今これをやっとくとあとになって楽になるって。人生はビスケットの缶なんだって」

人生いいこともあれば悪いこともある、という至極当たり前のことをそのまま伝えられても、あまり心に残りません。しかし、人生を「ビスケットの缶」にたとえて伝えられることで、心に優しく寄り添ってもらったような気がしてきます。

文学は、読者がそれぞれの主観で楽しむものです。ビジネスで誤解なく伝えることとは違い、万人に誤解なく受け取られる必要はありませんし、多様な受け止め方や解釈が生まれても構いません。むしろ、それが文学の豊かさですよね。

私たちも、言葉で誰かを励まそうとするとき、目の前にいる相手に伝わるよう、相手の心に寄り添える言葉を選びたいと思うものです。「言語化できない何か」を伝えるうえで、文学はさまざまな表現を教えてくれます。

作家のように優れた比喩を思い付くのは、もちろん簡単なことではありません。ですから、普段から本を読んで心に留まった表現を書き出したり、自分が思い付いた表現をメモしておくといいですね。

何かを説明するとき、具体的な数字の修飾語から、抽象的な心象風景の比喩表現まで、いろんな方法を組み合わせることで、相手の心に響く表現ができるようになります。

言葉に救われる、というマジックはこのようにして起こるのです。

表現をものにする　ＴＥＤスピーカーの格闘

ＴＥＤという、世界的に有名なカンファレンスのイベントがあります。世界に広める価値のあるアイデアを発信するイベントで、アメリカではじまり、いまでは世界各国さまざまな地域に広がっています。私も、以前ＴＥＤ×Ｋｙｏｔｏの運営に携わった経験があります。登壇者がしっかりとつくり込んだプレゼンシートを用意してトークに臨む姿は、とても緊張感のあるものでした。

登壇者はプレゼンの内容を暗記し、リハーサルに出て、練習を重ねます。しかし、暗記した内容をただ読み上げるのでは、字を辿っているだけに過ぎません。何度もくり返し暗唱し、言葉を自分のものにしていく、「私らしい言葉」に変えていく作業が必要です。

また、プレゼンには18分以内という時間制限があります。

制限時間でオーディエンスに届くよう、事例を取り混ぜながら、心に残るワードを伝えることが要求されます。淀みなく、するすると口から出ていく言葉になったとき、初めてその言葉に感情を乗せられるようになります。間違えないように注力しているうちは、人の心に届く強いメッセージにはならないのです。

メッセージをしっかり伝えるには、全体の流れ、構成をしっかり考えることも重要です。聴衆の心をつかむために、導入部分から、うんうんとみんなが共感できるような自分の経験を取り上げます。そうした共感に訴えつつ、伝えたいメッセージの真意をしっかり言語化していく。しかもそれは、誰にでも伝わるような平易な言葉でなくてはなりません。ある登壇者は、中学生でもわかるよう、平易な語彙だけを用いて話したということでした。

短い制限時間内で伝えきるために、登壇者たちは推敲と内省を何度も重ねます。つまり、TEDのプレゼンには、登壇者の経験から紡がれ磨きぬかれた「その人らしい言葉」が詰まっていたのです。

相手に何を伝えたいのか、何を残したいのかを意識してトークを組み立てる作業は、自分の考えをロジカルに言語化するうえで、もっとも大切な作業です。TEDは、インターネット上で、これまでのプレゼンを無料で配信しています。「TED Talks」で検索してみてください。推敲を重ねた素晴らしい言葉とオンラインで出会える私たちは、本当に幸運ですね。

ぜひ、TEDスピーカーたちの、磨きぬかれた数々の言葉を取り入れてみてください。使ってみたい言い回しは、書きとめて、自分だけの名フレーズ集をつくってみてください。

自分にない言葉を使うことには、初めは戸惑うかもしれません。しかし、使っていくうちに、言葉は自分のものになっていきます。TEDの優れたプレゼンで使われている言葉だって、もとは、そのスピーカーが言葉を習得し、自分のオリジナルな体験と掛け合わせて編み出されてきた言葉です。

新しく出会った言葉を使う機会を増やし、自分の言葉になるようにくり返し使ってみてください。

構成で人を惹き付ける　漫才に得るヒント

人の心を動かすための構成についても、考えてみましょう。

ＴＥＤのプレゼンを組み立てるときに意識するのは「スルーライン」という演劇や映画で使われる考え方です。

「スルーライン」とは作品を貫くテーマ、主旨のこと。これはシンプルなものでなければ、理解されづらく、ぼやけてしまいます。いろいろと伝えたくなってしまいますが、ここは一つに設定します。そして設定したテーマに沿って、自分の経験や想いを話しながら、もっとも大事なアイデアまで辿り着くストーリーを考えます。プレゼンを聴き終えたオーディエンスが、そこから受け止めたメッセージとして、何か一つを人に伝えることができれば、それで良いのです。

いちばん伝えたいことや、強調したいことはゆっくりと、それほど重要でない枝葉の部分は話す速度を速めるなどして、緩急を付け、18分という時間を使います。

人の心をつかむためにも、話の緩急は重要な要素です。

全体の構成を考え抜かれたトークといえば、やはり漫才です。

私は関西生まれなので、日常にいつもお笑いがありました。お笑いは、落語のような古典芸能から現在の漫才やコントに至るまで、文化として続いてきました。笑いで人を惹き付けて、場を和ませる。それは、世の中になくてはならないものだと感じています。だからきっと、歴史のなかで笑いの芸が絶えなかったのですね。

さて、漫才にももちろん、型やメソッドがあります。有名なテクニックには、「緊張の緩和」という理論があります。シンプルに言えば、話に意外性を持たせることです。たとえば緊張した文脈を急に緩めると、そこで笑いが生じるというメソッドです。

場所は公園。両腕にびっしり刺青が入った強面の男性が大きく強そうな犬を連れています。その人がしかめっ面でゆっくり、自分とキャッチボールしている子どもたちのほうに近づいてきました。どうしよう、絡まれる！　ぐっと縮み上がったそのとき、犬がお腹を見せて寝転がりました。尻っ尾をブンブン振っています。そして男性がひと言。「おじさんがキャッチボールの相手しようか？」緊張したシチュエーションが急に緩み、子どもたちは大喜び。そのギャップに思わず笑いが生じます。

「緊張の緩和」は、一般に緊張状態が急に解放されることを示しますが、緩和からの緊張でも同じようなことが起きるようです。

修学旅行。消灯時間が過ぎても、友人たちとのおしゃべりが楽しくて全然寝つけません。ポテトチップスとジュースで、こっそり乾杯したりして、ひそひそトークが続いています。先生に気づかれないよう気をつけてはいたのだけれど、いちばん面白い子のひと言で、みんな大笑い。そのとき、バーン！　と音がして部屋のドアが開きました。そこに険しい表情で立ちはだかっていたのは、厳しいことで知られる体育の先生です。あ、しまった。それまで和やかだった部屋のムードは一変し、全員に緊張が走りました。が、そこで、あの面白い子が、ぷっと吹き出してしまって……。

緩いシチュエーションが一気に緊迫したことで、笑いが起きました。人は想定外のことが起きるとつい笑ってしまうのです。それをうまく生かしたのが「緊張の緩和」という理論です。

口頭で表現するとき、同じ内容であっても、心に残る伝え方と、そうではない伝え方があります。プレゼンの場合、オーディエンスに興味を持ってもらうために、最初にこれからはじめるスピーチの主旨を伝えます。お笑いの場合、緩急を付けつつ、話を引っ張り、最後にオチをつけて、爆笑を誘います。

いい構成で組み立てられたトークは、オーディエンスの「興味」と「関心」を呼び覚まし、心を引っ張ります。プレゼンや漫才のメソッドを知ると、人の心を摑むまでの流れを学ぶことができます。

環境を整える　良いアウトプットのために

本を読んだり、映画を見たり、勉強したり。質の良いインプットをして、自分をよく内省し、良いアウトプットにつないでいくための環境は、どのようにつくればよいでしょうか？　インプットとアウトプットの質を上げる環境づくりには、三つの段階があります。

一つ目は、物を減らすこと。

二つ目は、自分を俯瞰する時間を取ること。
三つ目は、習慣にすること。

まず一つ目です。家のなかが、洋服や本、さまざまな物で溢れていると落ち着きません。いろんな情報が常に目に入ってくるので、気が散るのかもしれません。

部屋の散らかりは、精神の散らかりです。心が疲れていたり、ざわついていたりすると、部屋も不思議と散らかってきます。心地よい空間をつくるためには、苦労しなくても物をさっと片付けられ、どこにあるのか探さなくても物が見つかる状態を目指しましょう。

床に物を置きがちな人は、置かなくていいように物を減らす。いつも何か探している人も、物が多すぎます。探す時間をいちいち取らずに済むよう整理整頓しましょう。ここで美味しいお茶やコーヒーを飲むとテンションが上がる。そういう空間を目指してください。自分がくつろげる空間のイメージです。

場所が整ったら、二つ目。自分を俯瞰する時間をつくりましょう。おすすめは瞑想です。座禅では線香1本が燃え尽きるまでの時間を一炷《いっちゅう》と言います。だいたい45分を1回の座禅の時間としていいます。日常でもお香を用意できると、心が落ち着いていいですが、アラームをかけるのでもよいと思います。

座り方は、胡座で、両方の足を組む結跏趺坐《けっかふざ》。痛ければ、片方の足を組む半跏趺坐《はんかふざ》、それでも痛ければ、普通の胡座や、楽な姿勢でもかまいません。

目は、半畳先くらいの地面を見ます。目を瞑ると頭のなかの思考が進みすぎてしまうので、完璧に瞑らず、少し先の地面を見て、伏し目にすると良いでしょう。そして、リラックスして呼吸を意識する。静かに深く吸って、静かに深く出す。最初は呼吸のことだけ考えているくらいでも良いかもしれません。頭のほうに上った血や、意識を、だんだんと胸、そしてお腹あたりに落としていくような感覚です。

いろんな考えが頭をよぎると思いますが、それも感じて観察しつつ、呼吸と共に手放していきましょう。

そして、三つ目は、これを習慣にすることです。ぜひ、まずは3週間続けてみてください。きっと少しずつ、自分の心地よい場所や時間がわかってくるはずです。

こうした時間を持てたら、ノートにいまの心境を綴ってみてもよいでしょう。心地よい時間に、言葉を綴ることも習慣にしてみてください。

前著『感性のある人が習慣にしていること』に、生活の質を上げて感性を高め、それを習慣化する方法について詳しく書きました。ぜひ参考にしてみてください。

言葉を「紡ぐ」とは

綿や繭《まゆ》から繊維を引き出し、クルクルと巻き付けて糸にしていく作業風景。今日は日常で見ることはありませんが、昔はさまざまな土地で行われていました。映像で見たことがあるという人もいるのではないでしょうか。

「紡ぐ」という言葉は、「糸にする」作業のことを指します。糸を巻き取りながら撚《よ》りをかける棒のことを「錘《つむ》」と言い、それが動詞になった言葉が「紡ぐ」であるとされています。

この「紡ぐ」という言葉。糸や布を撚り合わせてつくるという意味だけでなく、「言葉をつなげて文章をつくる」という意味でも、よく使われますよね。綿糸や絹糸を紡ぐように言葉を選び、文章や物語をつくっていく。糸にする作業と似ていることから、そのように使われるようになりました。

フワフワしたものを一本の線にして、筋道を通していく。

私たちがしている言語化とはそういうことです。そう考えると、自分の言葉や紡ぎ方、そして人との対話の仕方を、改めて考えさせられるのではないでしょうか？

言葉を糸に、その言葉で綴られた物語を布に、比喩してみてください。

プチプチ切れてしまう糸では、大きな布にはなりません。
（プチプチ切れてしまう言葉では、大きな物語にはなりません）

繊細な糸は切れやすいですが、とても滑らかで美しい布をつくることができます。
（繊細な言葉は切れやすいですが、とても滑らかで美しい物語をつくることができます）

しっかりとした糸は、個性的で温かい布になるかもしれません。
（しっかりとした言葉は、個性的で温かい物語になるかもしれません）

中島みゆきさんの名曲「糸」の歌詞では、糸を人に比喩して使っています。縦糸と横糸をあなたと私にたとえ、そうしたつながりの糸から織りなされた布は、いつの日か他の誰かを暖めることがあるかもしれない、と。

自分の言葉で紡がれた物語は、言語化によってあなたを表現するだけではなく、そんなふうに他の誰かを暖めるかもしれません。

丁寧に紡ぐ言葉で、あなたの人生も色づいていきます。

第2章

自分と向き合えば「私らしい言葉」が起動しはじめる

自分との対話　土や道具が教えてくれたこと

私が取材を受けると、仕事柄、よく訊かれる質問があります。

それは、「土や道具と、どのように対話していますか？」という質問です。

インタビューなどで聞くフレーズですが、とてもよい質問だと思います。本来、対話とは二者の間で相互に行われるものです。しかし、感情を持たない土や道具との対話とはどういうものなのか。改めて考えさせられるからです。

陶芸ではよく「土のもり」や「筆のもり」という言い方をします。「もり」とは、子守りのことで、世話を焼くという意味で使われます。つまり、土や、筆といった道具を、使いやすくベストな状態に日々整え続けるということです。

土のもりなら、土が乾きすぎたり、どこか一部だけが乾燥したりしないよう、ひっくり返したり、ビニール袋をかぶせたり、置く場所を変えたりします。釉薬のもりなら、釉薬の水分が蒸発して濃くなりすぎないように管理する。また、筆のもりなら、筆の毛並みを揃え、書きやすいように保つ。そうした一連のお世話のことを指します。

このように、丁寧に道具と接し、その変化を見続けていくことで、だんだんと道具に対する「愛着」が湧いてきます。最初は他と同じ筆であっても、使ううちに少しずつ特有の癖が出てきて、唯一のものに育っていきます。もし誰かが私の筆を他の筆にすり替えれば、私は間違いなく気がつきます。

土や道具との対話とは、こうした日々を重ねて、対象を「特別のものにしていく」過程です。そしてこれは、人との対話でもやはり同じことが言えるのではないでしょうか。

また、当然ですが、土や道具にいくら語りかけても返事はありません。しかし、「語らないもの」と接しているときも、そこにはいつも関係が生まれます。料理の道具、パソコン、毎日使うマグカップだって同じです。自分と道具との関係は、日々育まれています。

私はあるとき、語り返してこない器に対峙することは、器を通して自分と対峙することだと気がつきました。華道家の友人はよく「花が曲がりたいように曲がらせてあげる」と言います。ここでも自然物を通して、自己との対話がなされています。

最近では、メディテーションの一つとしてものづくりをされる方も多いと聞きます。私が不定期に開催している絵付けのワークショップでも、終わったあとに「とてもスッキリした」「座禅をしたあとみたい」という声をいただくことがあります。語らぬものと対峙するうちに、より深い自分に気がつくことができるのかもしれません。

第2章では、自分との向き合い方、自分との対話の仕方、自分を知る技術について考えていきましょう。

出さない手紙を書く　気持ちに向き合う

言葉をたくさん知ること、丁寧な表現を使うこと。

そのあとに、大切なことがあります。

「自分の気持ちを知ること」です。

その一つの方法として、「出さない手紙」を書いてみることをおすすめします。言葉を文章にすることで、心にある感情を整理することができます。

自分がいま、どんな気持ちでいるのか。悲しいのか、嬉しいのか、怒っているのか。文章にしようとすることで、心をつぶさに観察できます。

私は中学生の頃から日記を書きはじめました。公開・非公開とさまざまですが、いまはブログを書き続けています。思春期の心にあった「モヤモヤ」とした感情、それを言語化することで、やっと受け止められた。感情を整理するためにはじめたのがきっかけでした。そのまま、いまに至っているわけです。

ところで、いま私、「『モヤモヤ』とした感情」と言いました。よく使われる言葉ですが、どんなイメージをお持ちですか？　心のなかにモヤがかかったような、景色が見えにくい状態でしょうか？　もしくはふわふわとした形にならないようなものを指しているのでしょうか？

心にある感情の整理は戸棚の整理とよく似ています。

戸棚からいちどものを出し、きれいに拭きあげ、再び収納します。

言葉にならないモヤモヤとした感情は、立方体でも円柱でもないフワフワとした雲や霧のようなものだとイメージしてみましょう。逆に、言語化できている感情には、立方体や円柱のように、きっぱりとした形があります。明確な形があるので、戸棚のなかで、積んだり寄せたりして整理整頓しやすいものです。一方で、モヤモヤとした感情は、積みにくいし、置き場所が定まりづらく、余計な場所を取ったりします。

心や頭のなかが、ある感情でいっぱいになってしまう。

それは、その感情を、言語化できていないからです。

脳内が一つの感情でいっぱいになってしまうと、日々の活動や意思決定のスピード、方向性にも影響を与えてしまいます。

そんなときに、頭を整理するための「出さない手紙」を書きます。

仕事のトラブルや、家族とのいさかい、どうしようもない片想い、人との別れなど、感情が激しく動くとき、そのほとんどは人間関係に由来します。何か解決できていない、伝えきれていない言葉が心のなかで燻《くすぶ》っている場合、それを吐き出さないまま、過去のことにするのはなかなか難しいのです。

だから「出さない手紙」を書いてみるのです。手紙は誰かに見られるわけではないので、何を書いても構いません。

一つだけ大切なことは、自分の気持ちに素直になること。

自分がいま、どんな気持ちなのか。どんな複雑な感情があるのか、心に向き合い、伝えきれていない何かを、自分のために、丁寧に言葉にしてあげましょう。


素直な言葉を綴る。

それはとても難しいことです。


ブログやSNSでも「公開」で投稿しようとするとき、つい分別のある人ぶって書いてしまうという経験が、誰しもあるのではないでしょうか？


感謝していないのに、感謝したふり。

わかっていないのに、わかったふり。

怒っているのに、怒っていないふり。
恋しているのに、恋していないふり。
心が動いているのに、動いていないふり。

これでは心は言語化されないまま、どんどん置いてきぼりにされてしまいます。モヤモヤをきちんと言語化することは、自分の感情をよく見つめるということです。言語化するために感情を整理したあとには、以前よりも自分の気持ちが理解できるかもしれません。

「非公開」のノートに書いた日記は、「自分に宛てた出さない手紙」です。

自分の気持ちを知り、理解することは、自分を慈《いつく》しみ、大切にするきっかけになります。そして、「自分の言葉」を持つ、確かな土台になっていきます。

感情のグラデーション　細かく観察する

自分の気持ち、感情を知ることは、心を落ち着けて生きていくうえでも、とても大切です。そして感情には、種類とグラデーションがあります。

たとえば、「よろこび」。日本語では「よろこぶ」という感情だけでも、さまざまな漢字があります。これは「よろこぶ」という感情にもいろんな種類があることの表れのように思えます。たとえば、自分一人でひっそりと感じるような「悦び」、誰かを祝う嬉しい気持ちの「慶び」また、大きく口をあけて人と喜ぶ「歓び」といった具合に、いろんなニュアンスがあります。

また、その程度にも差があります。つい微笑んでしまうくらいのささやかなよろこびから、地面から飛び上がってしまうような大きなよろこびまで、グラデーションが存在します。

もちろん、怒りや悲しみ、恐れといったネガティブな感情にも、種類とグラデーションが存在します。

怒りならば、いらっと気に障る程度の小さな怒りから、顔から火が出るような激怒まで、その程度には段階があります。

人は日々、こうした感情の波を感じながら生きています。特に波のないときは平穏に過ごせますが、ときに、とても大きく感情が動くこともあるでしょう。

大きな感情の動きを経験したとき、それを指標に表して可視化するワークを紹介します。

このワークは、ネガティブな感情が湧いたときに行うのが特におすすめです。ポジティブな感情は、ただただその一瞬を楽しめばいいからです。

ネガティブな感情、たとえば、誰かとの別れ、仕事の大失敗といった人生の大きな転機で、心が持っていかれるくらいつらいとき、それをじっと観察し続けることは、とても胆力のいることですよね？　一刻も早くつらさが消えることを願ってしまいます。

そんなときに、感情の波を数値にして「感情グラフ」をつくります。そして、眺めてみましょう。

怒りや、悲しみなど、いろんな感情それぞれの最大値を100％とします。たとえば、1日目は体感として《怒り50％／悲しみ90％》でした。翌日からは、1日目の数値を基準に心の変化を数値化していきます。すると必ず何かの変化があるはずです。日々、粛々と記録し、ある程度まとまったタイミングで、変化を眺めてみてください。

2日目《怒り10％／悲しみ90％／恥ずかしさ60％》
3日目《怒り60％／悲しみ90％》
4日目《怒り69％／悲しみ85％／あきらめ10％》
…………
50日目《怒り50％／悲しみ43％／あきらめ50％》

さまざまな感情が、入っては出ていき、その程度が増減し、絶え間なく動いていることに気がつきます。

2日目に現れた「恥ずかしさ」は、3日目には「(自分への)怒り」に変化したのでしょうか？　4日目には「あきらめ」という感情が出てきました。問題の起きる前には戻れないという諦観が現れはじめたようです。

もう二度とこの悲しみから逃れることはできない。一生悲しくて、この先はお先真っ暗だ。そう強く思っていたことでさえも、日々変化する。私たちは感情の波のなかで生きているとわかるのです。

毎日の感情と向き合う。それは、ある感情のなかにずっと居続けることを意味しているわけではありません。感情を記録したら、気分転換に散歩にいきましょう。しかし、特定の感情が何日も続き、そこから解き放たれることがあまりに難しい場合や、その感情のせいで生活に支障がある場合は、専門家に相談することをおすすめします。

このように、感情を書きとめ、それを一つの波形があるものとして感じることができたとき、その感情に向き合った分だけ、あなたの心の容量はきっと大きくなっているはずです。

その少し大きくなった心で、いまから何を感じますか？

波に乗る　感情をコントロールする

自分の感情を知り、数値化していく方法を書きました。

自分の感情の変化を可視化し、客観視することで得られるメリットはなんでしょうか？

それは、「自分の感情の波に流されなくなる」ことです。

小さな子どもを見ていると、欲しいものが手に入らないとかんしゃくを起こし、暑すぎると泣き、美味しいスイーツを食べて笑い、ころころと感情が変わります。私の子どもを見ていても、頬に伝わる涙がまだ乾かぬ間に、もうゲラゲラと笑っていて、よくそんなに忙しく感情に付き合えるものだ、と感心することがあります。

人間の感情には波があることをお伝えしましたが、きっと子どもはこの絶え間ない波のままに、全力で感情を表しているのでしょう。

それと比べると、人は大人になると、感情を直接表現することは少なくなってきます。暑いからといって泣く人は、もはやいません。感情よりも理性を重視するよう教育されてきたこともありますし、実際、「感情的にならないで！」とか、「男なんだから泣くな！」なんて、言われたことがある方もいるでしょう。

感情のコントロール。
それは、感情をなかったことにして抑え込むことではありません。
感情の波をうまく受け流しながら、乗りこなしていくような感覚です。

腹が立てば、「ああ、私は、今日、怒っているな」と自覚する。ネガティブな感情を認めたら、それをずっと自覚し続けるのはしんどいので、いったんそっと手放す。
嬉しいときは「ああ、喜んでいるな、私。よかったね、自分、ラッキー」と自分を寿ぐ。そして、喜びを味わいながら、またニュートラルな凪の状態に戻っていく。

波にうまく乗ること。それは、いま／ここの心の状況を観察し、向き合い、その経験を糧に、ポジティブな未来につくり替えるプロセスです。そのためにも、思考をうまく切り替える方法を知り、自由な思考を持つことのできるような環境づくりをしていくことが大切になります。

感情の大波にいつも流されていては、そこから湧き出る言葉も、定まらないものになるでしょう。

ニュートラルな凪の心で、丁寧に言葉を扱えれば、毎日をしあわせに過ごせますね。

体に感謝して向き合う

自分に向き合う。それは心と向き合うことだけではありません。生涯人生を共にする体ともよく向き合い、自分の健康や体調も知っておきたいですね。

元気な10代や20代は、体を酷使できるので、自分の体力が有限であることになかなか気づきません。私も、体は自分の所有物であり、体力も時間も無限だと思っていました。

人生80年として、体力のピークが25歳前後に来るとすれば、それまでの人生の2倍以上の時間をそこから先も生きていくことになります。55年にわたって、寿命までゆっくりと衰えていく体を、メンテナンスしながら付き合っていかなければなりません。

たとえばあなたは、自分が息をすること、息を吸うと肺が膨らむこと、酸素が血管を行き来することに、普段どれだけ意識を向けているでしょうか。毎日、お風呂で体を洗いますが、自分の体に意識を向けて洗っているでしょうか？

面白いことに、私たちは毎日使っている自分の体のことを、じつはあまりよく知らないのかもしれません。どのように意識すると、どのように体の部位が動くのか。ハードな運動をした後は、どこに痛みを感じるのか。ご飯を食べた後、どのように内臓が食べものを消化しているのか。

ヨガのインストラクターをしている友人は、行動の一つひとつについて、そのときの体に「意識」を向けることが、ヨガの最初の一歩だと言います。そして体へ意識を向けることは、本当は避けたい「痛み」と向き合うことにもつながっていくのだそうです。

体は使い捨てられるものではありません。

今日、お風呂に入るときは、5分だけでも長めに時間を使って、隅々まで丁寧に洗ってみてはどうでしょうか。足の指の間、膝の裏側、耳の裏側。
仕事で酷使しようが、失恋後にヤケ酒をしようが、体はいつも、私たちを容れる器として、私たちの存在を受け止めてくれました。今日も一日働いてくれた体に、感謝をして眠りに就きましょう。

体という器を、心地よく保つ。
そうすることで、そのなかのあなた自身がより整っていきます。
心が整い、インプットの質が上がります。
それにともなって、アウトプットもうまくできるようになります。

体に感謝をすることには、体調に気を遣い、栄養価の高い食事をすることも含まれます。
自分の体を大切にすることは、周りの世界を前向きに捉えることにもつながっていくでしょう。

自分へのインタビュー

「自分の言葉」は、語彙力を高め、人生経験を重ね、その経験を自分なりに言葉で表現していくことによって、育まれていきます。自分の経験を言葉にするとても良いワークがあります。「自分へのインタビュー」です。

こんなロールプレイをしてみましょう。

自分が、ドキュメンタリー番組に出演していると想像します。番組に出演している自分にインタビューをしてみるのです。

「そして、いまはどんな活動をされていますか？」

質問し、少しかしこまってその問いに答えてみましょう。

「こんな経験をしたことから、私は社会に対して〇〇という課題を持っていました」

「はい、ええとですね。今回は本当に大変でした。でも、私はこんなことに気がついたんです」

「いやいや、本当に私、おっちょこちょいなんですよね」

質問する内容は、自分のスタンス、つまり哲学やスタイルを掘り下げるきっかけになるようなものがいいですね。それこそ、ドキュメンタリーのように、「譲れないことはなんでしょう？」とか、「仕事で大切にしていることはなんでしょう？」というふうに。

私は雑誌などでインタビューを受けたあと、不思議と心が静かになったという経験をしています。

インタビューでは、答えを準備していたことだけを話すわけではありません。問いに答えていくうちに、心の奥に持っていた考えに気がつき、言語化できたということもよくあります。

インタビュアーが、私の心のなかにあるいまの考えをうまく引き出してくれたからです。そして、それだけではありません。自分が口から発して、体の外に引き出された言葉は、自分の耳で聞き、再び体のなかに入ってきます。体験を自分の言葉にして、口頭で表現することは、その言葉の持つ力を客観的に認識することにつながります。認識が深まることは学びや成長を促します。


インタビュアー（問う人）と、インタビュイー（答える人）、一人二役で声に出すロールプレイを、習慣にしてみてください。少しかっこつけて自分語りをして、心の声を引き出してみてください。

そうすると、自分の心が整理でき、自然に目線が上がって、頭を占めてしまっているような負の感情があるときでも、その感情から自分を解き放つことができます。そして自分の思考から生まれた言葉の力を、再認識することができます。

価値観を整理する

「断定」と「理由」で書く

自分との向き合い方を掘り下げてきましたが、自分というのは「いま／ここ」だけではなく、長い時間軸の上に存在しています。

いまの感情や考えに向き合うだけではなく、長い時間、人生における自分にも向き合ってみましょう。自分の人生哲学や価値観を整理してみたことは、ありますか。

「価値観」とは、よく使われる言葉です。しかし、自分の価値観をよくよく突き詰めて考える機会というのは意外と少ないのではないでしょうか。

価値観とは、さまざまなものごとについて、人が何かを選択していくための判断基準、優先度の指標になるものです。

「倫理観」なら、人として守るべき善悪の判断基準、「結婚観」なら、どんな人と結婚し、どんなパートナーシップを築いていくかの判断基準、「仕事観」なら、仕事の意義や人生のなかでの価値付けといった判断基準です。こうしたいろんな価値観を、整理してみると、自分のことがよく見えてきます。

価値観を整理するおすすめの方法は、「断定」と「理由」で書き出すことです。たとえばこんな感じです。

✓仕事とは、《自分を発見するもの》＝断定。
→なぜなら、お金を稼ぐだけで成長がないと時間がもったいないから＝理由

✓仕事とは、《人と出会うもの》＝断定
→なぜなら、同じプロジェクトで出会った人から人生哲学も学べるから＝理由

✓結婚とは、《助け合うことを知ること》＝断定
→なぜなら、人は独りでは生きられないから＝理由

✓結婚とは、《子どもを産み、育てるための社会的な場》＝断定
→なぜなら、子どもが安心して生きられる場所が必要だから＝理由

人によって、いろんな断定フレーズが出てくるはずです。結婚ならば「暇つぶし」「愛し合うこと」「修行」というように。

この断定は自分だけのもので、正解はありません。また、たくさんの答えがあっても構いません。《》が、自分の価値観。「なぜなら」以降の理由が、価値観を裏付ける自分の指針です。

「仕事」「結婚」「倫理」など、一つの言葉から発生した複数の言葉を見たときに、自分が本当に大切にしたい価値観が輪郭を帯びてきます。

次に、複数の価値観に、優先順位をつけてみます。どの価値観が、自分にとっていちばん大切な生き方の指針でしょうか？

もちろん、これから先、価値観が変わっていくこともあるでしょう。定期的に見直してみると背筋が伸びますね。

英雄の旅　成長に共感する

アメリカの神話学者であるジョーゼフ・キャンベル氏の著作に『The Hero's Journey（英雄の旅）』という本があります。キャンベル氏は、世界の神話に登場する英雄伝説を研究し、一つの「型」を発見しました。主人公は天命を受け、仲間をつくり、敵を倒していく。英雄伝説にはそうした一連の流れがあるというのです。

言われてみれば、『スター・ウォーズ』『ドラゴンクエスト』、それに『千と千尋の神隠し』など、主人公が学び、成長していく物語は、たいていこの流れをふまえています。

順番に説明してみましょう。

Calling（天命）：物語のはじまりです。旅をはじめる動機となる、なんらかの小さなきっかけが発生します。落としものを見つける、事故に遭う、誰かに会い何かを託される、不思議な夢を見る、など。

Commitment（旅のはじまり）：旅がはじまりますが、ひょんなことでその旅への葛藤が生じます。

Threshold（境界線）：ここから先へ、行くか、戻るか。決断を迫られる試練があります。

Guardians（メンター）：師匠や仲間に出会い、成長していきます。

Demon（悪魔）：最大の試練に立ち向かいます。ラスボスや最大のライバルが現れ、戦いがはじまります。

Transformation（変容）：ラスボスなど、最大の試練に負けそうになります。このままでは負けてしまう。そこで自分の何かを変容させることになります。たとえば、大切にしていたものを捨てる、自分の弱かった部分を認め、勇気を振りしぼる、などです。主人公の成長において、最大の山場です。

Complete the task（課題完了）：戦いの後、これまでのできごとを振り返り、自分が何を得て、学んだのかに気がつきます。

Return home（故郷へ帰る）：旅のはじまりから大きく成長し、生まれ変わった自分が、再びもとの暮らしに戻ります。

このように、主人公が使命を受けて、旅をはじめ、困難を乗り越えて、最大の敵に立ち向かう。その過程で、主人公が挫折しそうになったりしながら、課題に向き合う姿に、視聴者や読者は共感をおぼえ、物語に引き込まれていきます。

会社の創業者の良いプレゼンテーションには、さまざまな苦難を乗り越え、現状に到達したというストーリーがあります。まさに、英雄の旅。オーディエンスの感情移入を促す流れがあるのです。

数字やエビデンス、事業計画よりも、オーディエンスにとっては、感情が動いたその瞬間、つまりストーリーのほうが心に残るのです。

魅力的な人、人を惹き付けられる人は、自分の物語を語ることができる人です。

あなたが主人公の、あなたの人生の旅は、どんな物語でしょうか?

私だけの英雄伝説を書く　人生の主人公

それでは、自分の物語を書いてみましょう。

ここでは、私の物語を例に挙げます。陶芸をはじめて自身のブランドを立ち上げた頃の物語です。

Calling（天命）：あなたの旅は何がきっかけではじまりましたか？　何を感じ、どんな意外なことから、人生の旅がはじまりましたか？

私は、代々陶磁器の窯元として家業を継いでいく家に生まれました。兄が家を継ぐことが決まっている環境で育ちました。就職を考えるタイミングになって、私が一から立ち上げるような、自分にしかできない仕事を探していました。そんなとき、友人の父がふと「試しに陶芸をしてみたらどう？」と、アドバイスをくれました。それがきっかけとなり、陶芸の道を歩みはじめました。

Commitment（旅のはじまり）：歩みはじめたなかで、初めての挫折や、葛藤はいつ起きましたか？

陶芸の学校はとても楽しく、たくさんの仲間ができました。仲間の誰もが、卒業した後の私は、父のもとで工房を手伝うと思っていました。そしてある程度したら、お見合いをして結婚するのだろう、と。

家の工房を手伝っても私のキャリアにならない。かといって、京都の他の工房に入ったとしても、私の身元がわかっているので、厳しく指導してもらえない。それでは修行にならない。

自分の進路に悩んだ末、のちの修行先となる佐賀県の「今心工房」をインターネットで見つけました。そこへ押しかけ、修行させてもらうことが決まりました。

Threshold（境界線）：これでやっていこう。そう、心に決めたあと、わりと早い段階で発生した試練はどんなものでしたか？

修行に入り、数年経ちました。師匠のもとに居続ける選択肢もあったのですが、京都に戻る決意をしました。その代わり、京都と佐賀を結ぶような事業をはじめようと考えました。お世話になった佐賀県の産業に貢献したいという気持ちがありました。

しかし、京都に戻ってから、人の心に届く作品とはどういうものか、浮かんでこなくなり、悩みました。クライアントの課題を形にする修行を積むため、ウェブデザインなどの仕事に就きました。大変な日々でした。

Guardians（メンター）：師と仰げる人や、友人に出会いましたか？　それはどんな出会いでしたか？　そして彼らから何を学びましたか？

しかし、ウェブデザインの事務所で出会った先輩たちからは、たくさんの技術を学びました。陶芸の技術だけでなく、撮影の仕方、オンラインストアの制作管理、グラフィックデザインなどを習得しました。

改めて「茶道具」をつくる実家の仕事についてもよくよく考えました。そして、私も自分のブランドを立ち上げ、日本の美意識を現代のもてなしにつなぐような仕事がしたいと思うようになりました。

Demon（悪魔）：あなたの旅の最大の敵は誰ですか？　他者でしょうか？　それとも自分

でしょうか？

自分のブランド「SIONE《シオネ》」を立ち上げました。一つのブランドをつくることは並たいていのことではありませんでした。さまざまな横槍が入りました。器をつくることを反対されたこともありました。品質の悪い仕事をされてしまったこともありました。自分に負けて、もういいや、と思うこともありました。改良を重ねて、ようやくクオリティが安定し、「SIONE」というブランドを少しずつ人に知ってもらえるようになってきました。

Transformation（変容）：頭打ちになっていることはありますか？　あなたの変化を止めているものはなんでしょうか？　これまでのやり方や、慣れ親しんだけれど未来に合わないものを捨てなければならないとき、あなたは何を捨てますか？

原材料の値上がりや職人の廃業で、これまでの価格で製品を販売することができなくなりました。日常に用いる製品で人々を豊かにしたいという思い、そして同時に利益を上げること。現状のままその両者のバランスを取ることに限界を感じはじめました。

そこで、値上げを決めました。自分たちもお客様も満足のいくクオリティのものを制作していこうと心に誓いました。自社以外の職人とも協働していこうと、新しいプロジェクトを開始しました。

Complete the task（課題完了）：戦いの後、これまでのすべてのできごとを振り返りましょう。あなたは今回の旅で何を得て、何を学びましたか？

紆余曲折の末、私は、社会のニーズも時代とともに変化していくことを知りました。その変化に乗って、会社や私自身の働き方もゆるやかに変化させ続けていかなくてはならないと知りました。ただ、どんな状況下にあっても、「人々に豊かさを伝えたい」という理念だけは、ずっと変わらないことを知りました。

Return home（故郷へ帰る）：終わった後に帰る場所はどこでしょうか？　もともといた故郷でない場合もあるでしょう。あなたは、新しい居場所にすでにいるかもしれません。

私が戻る場所は、仲間のいる場所でした。同じ気持ちで、この世界でものづくりをしている仲間たちと出会い、励まし、励まされる場ができました。そこはまた新しいホームとなり、次の旅をはじめるための羽を癒すところになりました。

このように書いてみることができました。
あなたの場合は、いかがでしょうか?

また、このワークで物語を書くときは、「私は~した」という一人称ではなく、「彼/彼女/○○は~した」というように、三人称で書いてみるのもおすすめです。より客観的な物語として自分の人生を見ることができます。

旅は、何度でもスタートすることができます。
一つの旅が終わったなら、次の旅はどこに向かいましょう。
次の旅にはどんな課題があるのでしょうか。

自分の人生を言語化し、自分の物語を描けると、それを人に伝えることができます。自分の知識や経験から成り立つ物語は、もちろんあなたにしか書けない物語です。

すでに手に入れていた 人生は選択できる

自分の英雄伝説を書いてみました。そのなかで何か気づくことがありましたか？

次に、物語のなかで自分が「得たもの」をマーカーでチェックしてみましょう。

いくつありましたか？

得たもの。ロールプレイングゲームなら、人との縁、武器、魔法などのスキルを手に入れますよね。あなたの物語ではどうでしょうか？　武器や魔法の代わりに、知識、資格などのスキル、新しい顧客や友人との縁を得たかもしれません。

人生ではときに、「失ったもの」にフォーカスしてしまいがちです。しかし、得たものを数えてみると、失ったものよりも遥かに多かった、と気づくことがあります。

その得たものについてよく考えると、人生のその時々で、自分が選択しながら歩んできたから得ることができたのだ、と改めてわかります。

このように自分の物語を書くことは、人生を冷静におさらいし、次の一歩を正しく歩み出すための足がかりとなります。

私たちは普段の生活のなかで、自分自身が自分の人生の選択権を持っているということを忘れがちです。自分で選んだはずなのに、「やらされている」という気持ちになったり、「もうここからは離れられない」と思い込んだりしてしまう。

しかし、そうではないのです。

自由な人生や思考を支えるのは、「自分で選択できる」という状況です。「自分で選択してきたこと」の延長に、いまがあります。「自分で選択してくこと」の延長に、未来があります。

山道を歩くと思考が自由になる

さて、ここまで、自分と向き合う方法について考えてきました。

自分と向き合う、それは究極的には、自分というものを、少し遠くから客観的に眺める過程です。ぐらぐらとしている感情を、冷静に自覚することで、自分を知る。あるいは、言語化されていなかった価値観を、自分にインタビューしたり、英雄物語にしたりして、書き出す。それを眺めることでメタ認知する。

冷静に深呼吸して自分を見つめるために、私が実践している方法があります。それは、歩くこと。可能ならば、軽い登山をぜひおすすめしたいと思います。

最近は、座って行う瞑想以外にも、歩きながら心を整える歩行瞑想も注目されています。心地よいと感じる強度で有酸素運動を続けると、体内のしあわせホルモンと呼ばれるセロトニンが分泌され、ストレスが軽減すると言われています。

登山は、歩行よりももう少し負荷がかかります。その分、体を動かすことに意識を持っていかれるので、余計な心配ごとにとらわれたりする暇がありません。心を占めるような悩みや懸案事項を抱えている人には、特に効果的です。

私の職場は、京都の東山にあります。京都学派の哲学者・西田幾太郎《きたろう》が、毎朝歩いていたことにちなんで名付けられた「哲学の道」や、五山の送り火で有名な大文字山、延暦寺のある比叡山などの近くに位置しています。その恵まれた立地で、哲学の道を散歩したり、大文字山に登ったりと、気軽に自然に触れることができます。

最近は、ほとんどの人がスマートフォンを持っていて、四六時中ネットにつながっています。情報が飛び交うなかで、自分に本当に必要な情報や、間違いではない情報を選びとるリテラシーが必要です。

「情報の波」という表現がありますが、うっかりしていると、まさに大波のような情報に押し流されたり、飲み込まれたり、影響されたりしてしまいます。

波というと感情も同じですよね。情報と感情の大波に流され、飲み込まれている状況が、現代の病ともいえるのかもしれません。

「私らしい言葉」とは、盤石な自分の軸と、自由な思考から生まれるもの。

波に飲み込まれずに、うまく波乗りをするためにはどうすればいいのでしょうか。

デジタルデトックスという言葉が流行りました。スマートフォンやパソコンなどの情報機器に触らない時間を一定時間設けることで、情報から離れてストレスを緩和することを指します。

また、一人でするキャンプ「ソロキャン」も注目されました。都会から山奥の自然豊かな場所に行き、限られた道具でご飯をつくって食べる。わざわざ「不便さ」を体験することで、五感を鋭くし、良質なインプットを得られるようになります。現代社会という便利な居場所から不便な場所を探しにいくなんて、なんだか皮肉なものですね。

しかし、効率性と利便性の高さを実現するために発展してきたこの世の中で、それとは逆行するような流行があるということは、人類が本来は動物であり、地球に住む生命の一部であることを思い出させてくれるような気がします。いや、もしかしたらこうした流行は「動物であることを忘れては、生きていけない」ということを、私たちが本能で知っている証なのかもしれません。

自然に身を置くことで、自分の意識もまた世界とつながっていることを実感できます。自分の気持ちを自分で整理できているときは、独りで自然に身を置いていても孤独を感じません。だからこそ、人はときに雑踏から離れ、自然豊かな場所に身を置きたくなるのでしょう。

体と心は密接につながっています。どちらも健康でなければ、本当の意味で健やかとは言えません。掃除や運動などをして適度に体を使うことで、頭の雑音を抑えて冷静になり、自由に思考できることがあります。

ぜひ日常に、自然を感じる運動習慣を取り入れてみてください。

頭で理解し、胸で感じ、腹に落ちる

「頭で理解し、胸で感じ、腹に落ちる」というのは、私の大切にしている、自己成長のプロセスです。これは言い換えると、「頭＝論理」「胸＝感覚」「腹＝受け入れ」までの認知の流れです。


もっと言えば、論理とは言語化することです。しかし、世の中には、ロジックで理解していても、感覚的に納得できないことが多々あります。

「わかっちゃいるけどやめられない」とか、「嫌なものは嫌！」とか、「でも、やっぱり～」というような状況です。

こうしたら良いのはわかっている。しかし、感覚的、感情的にそれを拒否している。そういうことを、面従腹背《めんじゅうふくはい》といいます。

論理（ロジック）と感情（エモーション）は、たまにそのように相反するときがありますが、自分の決定理由を互いが補い合ってくれることがあります。

どういうことでしょう？　「論理的に突き詰めた説明」が、「直感的／感情的に選択したこと」の下支えをしてくれることがあります。

また、逆に「論理的には間違いないけれど、気が進まないこと」に対して「本当にそれでいいのかという直感」がアラートを出し、より深く思考することを促してくれることがあります。

論理と感情を思考が行き来した末、最終的には「腹に落ちる」という段階にいたります。腹落ちとは、「深く納得する」という意味です。

ところで、日本語には「腹」という語を含む慣用句がたくさんあります。

表向きはいい人そうでも、裏で悪いことを企む「腹が黒い」人。覚悟を決めることは「腹を決める」。おかしさに耐えきれずに大声で笑う「腹を抱える」。度量が大きく、小さなことにこだわらない「太っ腹」などなど。そのどれもが、深く、どっしりと、強い印象の言葉ですね。

一方で、恋をしたり、失恋で痛手を負ったりすると、胸のあたりがきゅっと苦しくなったりします。腹が痛くなることはありませんよね？
心や胸というと、心臓あたりのイメージですが、腹というと胃より下、おへそのあたりをイメージします。おへそのあたりは、道教の用語で「丹田《たんでん》」と言います。体の中心、それもエネルギーの集まる場所を指します。

私は小さい頃、日本舞踊を学んでいました。そのときに、腰を低く落として丹田に力を入れることを教わりました。丹田に力を入れると、体が安定し、フラフラしにくくなります。武道や伝統芸能の世界では、腰を落として重心を安定させるために、丹田の場所を意識させることが多いです。

おへその3センチほど下あたりを意識して、座ってみてください。お腹を膨らませるのではなく、ぐっと力を入れて、その力を下に引き伸ばすような感覚です。そうすると、自然と腰や背中が伸びて、姿勢がよくなります。
ヒールのある靴を履く方は、歩くときに丹田を意識してみてください。きっと上半身が定まり、美しい姿勢をキープしたまま歩けると思います。

「腹に落ちる」という言葉は、丹田のことを指しているのではないかと思うのです。「体のバランスやエネルギーを司る部分に、理解が落ちていく」ということです。
まだまだ未熟である自分、こうしたら良いのはわかっている、しかしながら直感的／感情的にそれを拒否している自分……。あるいは、感情的には理解しているけれど、ロジックでは無理だと決め付けている自分……。そんなふうに感じてしまう自分の状況を受け入れる、ということです。丹田で納得することは、頭で論理的に納得することとは大きな違いがあります。

頭で理解し、胸で感じ、腹に落ちる。

そのプロセスには、アイデアの言語化、自分の心身の観察、そして他者理解までもが含まれているはずです。「腹を括った」ならば、あとは、前を向いて進むだけです。

第3章

感性のある人は「私らしい言葉」で世界を捉えている

「職業病」の視点を持つ

ずっとずっと、頭のどこかで考え続けていること。

脳がアイドリングし続けていることはありますか？

「職業病」とも言いますが、仕事でなくても構いません。

私の友人のグラフィックデザイナーは、街に出るとずっと看板を見ています。看板のフォントや、文字と文字の間隔なんかを見ているのです。どのような業態の店に、どんなフォントやロゴ、ブランドカラーが使われているのか。そうしたことをリサーチしています。

たとえば、どこか懐かしい気持ちになる昔ながらの喫茶店にはこんなフォントが使われている。近代的な複合施設にあるカジュアルなファッションブランドには、こんなロゴとブランドカラーが使われている、などです。観察のときの視点は、「かっこいい／かっこよくない」「素敵／素敵ではない」という白黒ではないようです。近未来的に見えるフォントも、逆にレトロに見えるフォントも、すべてが「そういうデザインをする」ときのための知識の引き出しになっていくのです。

また、友人の茶人は、見るものすべてが「茶道具」に見えると言います。茶道には「見立て」という文化があります。茶道具ではないものを、茶道具に置き換えて使うことを指します。

たとえば、高麗茶碗の一種である斗々屋《ととや》茶碗は、かつて朝鮮半島で量産されていた雑器でした。千利休が美しさを見出し、抹茶碗として見立てたことから、茶道具として使われるようになりました。斗々屋という呼称は、堺の魚屋《ととや》の棚から見出したからだと言われています。

見立てには一定の美意識が必要です。茶道具ではないものを茶道具として使うためには、形に茶道具としての機能性があるかというだけでなく、それを茶道具として使うための美しさを見出せる力がないといけません。

そのため、茶人はずっとそのことを考え続けているのです。

私の場合は、ずっと「言葉」と「作品コンセプト」のことを考え続けています。可視化できないものを誰かに伝えるために、どのようにして見える形にしようかと日々考えています。ですから、電車の中吊り広告、美術館のステートメント、新しいテクノロジーなどにとても興味を持って過ごしています。

このように「職業病」のような視線を持って、世の中を見わたすと、街でも、電車でも、誰かとの対話でも、何かのヒントを見つけ出すことができるでしょう。

ずっと考え続けていることにしか、答えはやって来ないのです。

「私らしい言葉」の表現を身に付けることも、良質なインプットあってこそです。第3章では、自分の外の世界に目を向けます。世界を豊かに捉えるコツについて考えていきましょう。世界を鮮やかに、解像度高く捉えている。それがつまり、感性のある人です。

小さなことに驚いてみる

子どもが見るこの世界は「未知」の体験で埋め尽くされています。

誕生日が来て、一つ歳を重ねることさえも、子どもにとっては驚きです。クリスマスにサンタクロースが来ること。跳び箱が飛べるようになること。字が読めるようになること、自分の胸がウキウキしたり、キュッとしたりして、恋心に気がつくこと。

子どもは一つひとつが初体験で、その一つひとつにとても素直に驚いていきます。あんなにたくさんのことに驚けるなんて、しあわせだなと、羨ましくなります。

私はこの「驚く力」を、人生を潤し、感情を味わううえでとても大切なものだと思っています。なぜなら、驚きはそのあとに訪れる感情をいっそう強めてくれるからです。

たとえば、人との急な別れ。突然の不幸の驚きは、悲しみや喪失感を増幅させます。あるいは、サプライズのお祝い。想像していなかった驚きは、喜びを増幅させます。誕生日やプロポーズでサプライズを仕掛ける人は、大切な人に喜んでもらおうと、その人が想定する以上の演出を企画して、「驚き」というスパイスをイベントに追加しているのです。

大人になるにつれて、人は経験値が上がります。経験が増えることは、新しい体験との出会いが減ることを意味します。そして、純粋に驚く機会がだんだん少なくなっていきます。誕生日のサプライズだってなんとなく想像できてしまって、仕掛けに気づいていないふりをする自分が誰よりもいちばんソワソワしてしまう。そんなこともありますね。

「美味しい」という驚きも同じです。いろんな食材、美味しいものを食べれば食べるほど、「驚くほど美味しい！」と言える体験が貴重になってゆきます。新たな「喜び」を求めて、より高価なもの、より美味しいと評判のもの、滅多に食べられないもの、想定の範囲を超える価値を持つものを追いかけることになります。

まだ見たことがない景色を見たい。
しかし、それには限界があります。

それならば、少し意識を変えてみるのはどうでしょう。子どものように世界を見て、日常の小さなことに驚いてみるのです。

ベランダで飲むコーヒの美味しさに驚いてみる。
こたつに入って食べるアイスの美味しさに驚いてみる。
いつも一緒にいる友人や家族に改めて感謝してみる。
人とゲラゲラ笑えることをしてみる。
1年前より上達したことに驚いてみる。

当たり前のできごとに、しっかり驚いていく。そうすれば、自然と「ありがたい」という気持ちが湧いてきます。予測以上のこととは、通常では「有ることが難しい」こと。文字どおり「有り難い」ことだからです。

日々のことに丁寧に驚きましょう。

小さなことに感謝をしていると、だんだんと毎日の生活の質が上がっていきます。

驚ける人は喜べる人

私の知り合いに、驚くのがすごく上手な人がいます。

彼は、小さなお土産にもとても大きく喜んでくれます。気張らない、ちょっとしたお土産を渡したときも、

「ええ〜〜〜！　こんなのくれるんですか。めちゃめちゃ好きだったんですー。ありがとうございます!!」

そんなに喜んでもらえると、「ああ、差し上げてよかったな」と、嬉しい気持ちになります。こうして、受け取り手の驚きや嬉しさは、送り手へと返り、またその先へ循環していきます。

逆に、「当然、手土産くらい持ってくるだろう」という態度の方は、何かをもらっても大して驚きがありません。それどころか、人の好意を費用対効果で考えるような方もいます。そうした態度は、お土産を渡した人にも、きっと伝わってしまうはずです。

驚き上手の知人は、なぜ、ほんの小さなことでも、しっかり驚くことができるのでしょうか。

もしかすると、彼の職業が関係しているのかもしれません。彼は小学校の教諭をしているのです。ですから、いつも子どもたちと接しています。子どもたちと一緒になって、世界を観察し、いろんなことに驚くうちに、「驚き力」が高まり、小さな驚きを発見することが習慣化したのかもしれません。

予想外のポジティブな驚きはいいものです。しかし、逆に、人の行動を予測し、後で勝手にがっかりしてしまった経験はありませんか？　ネガティブな驚きとも言える感情です。

たとえば、「洗いものくらいやってくれているだろう」と家族の行動を予測して、帰宅。流しに汚れた食器が山積みで、不満を感じる。あるいは、「テストで70点は取れるだろう」と子どもに期待し、65点しか取れなかったら落胆してしまう。
独りよがりな期待を他者に押し付けると、期待どおりにならないときに不満が募ってしまいます。

人に期待をしない。

それは一見、人を信頼していないと言っているようで、寂しい言葉に聞こえるかもしれません。しかし、そうではありません。

受け取るほうは、相手に期待しない。
いつも新鮮に驚ける自分になれるよう、心を調整する。
与えるほうは、相手の期待値を超える。
いつも120%のアウトプットを目指す。
そうすると、互いの驚きが喜びを増幅してくれます。さらに良い関係が育まれていきます。こんなにしあわせな循環はありませんね。

期待値を調整する

驚き上手になるために

私たちは日々、人に期待することもあれば、自分自身に期待することもあります。「このくらいできて当たり前だ」という自己評価もまた、期待の一種です。自分に期待することは、向上心につながります。

しかし一方で、自分に厳しくなりすぎると、つい大きな目標を掲げがちです。小さな成功に驚いたり喜んだりすることが難しくなってしまいます。

大きな目標も、今日からできる小さなことの積み重ねから。

自分の小さな成長にきちんと驚き、喜んでいくことはとても大切です。

「驚き」は、「期待」と「結果」のギャップが大きいときに生じる感情です。

期待を基準とし、結果のほうが上だと「喜び」、下だと「恥」や「不満」を感じます。

「喜び」と「不満」は期待を挟んで上下にある、相反する感情と考えられます。

ということは、嬉しい驚きを感じるのが上手な人というのは、「期待値」の高さの位置を調整するのが上手なのかもしれません。

自分の未来への道筋で、適切な高さのステップを設定すること。

職場の後輩や子どもにも、適切な高さのステップを設定してあげること。

自分や他者への期待を適切に持つことは、自分や他者の能力を小さく見積もり、卑下することでは決してありません。そうではなく、自分や他者の思いがけない成果を楽しむ準備をするということです。

相手の行動や、自分の能力を過信せず、ちょうどよい期待を持てるとき、人生はずいぶん楽になりますし、何より、豊かになるのではないでしょうか？

人間観察で想像力を養う

20代前半、私は父と二人でスペイン旅行に行きました。スペインでは、ツアーで複数のご夫婦やご家族と一緒に街を回りました。最初は、参加している家族どうしの間に距離がありました。やがて、だんだんと打ち解けていくなかで、皆さんといろんな話をするようになりました。

いちばん面白かったのは、女性トイレでのできごと。同じツアーに参加していた年配の女性から声をかけられました。

「ご一緒に来ておられるのは、お父様？」

私が、はいと答えると、女性は急にほっとした表情になりました。なんでも、私と父がカップルだと邪推していたのだそうで、遠慮して話しかけられなかったというのです。そして、どうやら他の参加者の皆さんもそう思っていた様子。

「早く聞いたらよかったわよ」

「いま思えば、顔が似ているわ」

口々に言いはじめて、そのたびに笑い、とても仲良くなりました。

この勘違いは、いくつかの面白い固定観念によって起きたのでしょう。

第一に、20代の女性はあまり父親と二人で旅行には行かない、という固定観念。第二に、仮に父親と旅行に行くような女性であれば、もっと大人しそうなファッションをしているだろうという固定観念。第三に、親子ならばもっと顔が似ているはずという固定観念。

私と父が親子であると明らかになるまで、皆さん、いったい、どれだけの想像を巡らせていらっしゃったのだろう。そう思うと、申しわけないような、ありがたいような気持ちになりました。

この世界にはさまざまな人がいて、さまざまな人生を歩んでいます。私は、街で人間観察をするのが好きです。

老年の男女が散歩していれば、50年連れ添った仲睦まじい夫婦を想像するのが一般的かもしれません。でも、もしかすると、それぞれ人生の荒波を乗り越えて、最近付き合いはじめたばかりのカップルかもしれません。

向こうの席で食事をする中年男性と派手な服装の若い女性は、お客さんと飲み屋のホステスさんの同伴出勤に見えるかもしれません。でも、仲睦まじい親子かもしれない。そういうふうに想像してみると、二人を取り囲む空気が変わって見えてきます。
二人の子を連れた男女は、家族でしょうか。でも、もしかすると、シングルファーザーとシングルマザーの懇親会かもしれません。

イギリスの詩人バイロンの作品「ドン・ジュアン」の一節に「事実は小説より奇なり」という有名な言葉があります。

そう、「人生は小説より奇なり」。

街ゆく人たちや家族を見ては、その人生を想像する。そうしたことをするのは、「人の人生が下手な小説よりも想定外で愉快である」と知っているからかもしれません。私の想像を遥かに超える美しい物語が、人生にはある。そのことを知っているからです。

固定観念の檻を開いてくれる想像力

イマジネーション＝想像力。

スペイン旅行でのできごとのように、人には固定観念があります。固定観念は、想像力を檻のなかに閉じ込めます。想像力から自由を奪うと、面白いことや、突拍子もないことを思い付くのが難しくなります。

私は、「SIONE」という器のブランドを主宰しています。ブランドコンセプトは「読む器」です。私みずから、まず物語を執筆し、その物語に合わせて絵柄や形状をデザインしています。「SIONE」の器を使ったコース料理を食べると、一つの物語を味わえる。そういうブランドです。

固定観念の縛りを外すには、ものの持つ機能をいちど付け替えてみることです。

たとえば器の機能は、「料理を盛り付けること」です。料理を盛り付けるために、汁物であれば汁がこぼれないよう椀型の形状になっています。

では、器の機能を違うもの、たとえば「楽しむ」に付け替えると、どうでしょうか?エンターテイメントとしての器。機能をそう仮定すると、いままでとは違った表現方法が浮かんできます。器に物語がある、器に映像が映し出される、器の色が変わる、など。

「料理を盛り付ける」という機能とは、また別のイメージが湧いてきます。重すぎては使いにくい、大きすぎると窯に入らないなど、陶磁器の製造にはいろんな制約があります。しかし、可能性を大きく広げ、使う人々の感性を開くようなものにしたい。「楽しむ」器にしたい。そう考えると、さまざまなアプローチやアイデアが生まれるものです。

固定観念を外すために、いろんなものを擬人化するという手もあります。

おとぎ話を想像してみてください。必ず奇想天外なことが起こりますよね。常識的な秩序はありません。鏡は違う世界への入り口になっていますし、トランプは兵隊として行進します。

目の前にあるコップ、建物、毎日着けているアクセサリー、地球……。自分と関わりが深く、長い時間を過ごしてきたものを取り上げて、そのものの目線での物語を想像してみましょう。

実際にはありえない状況を仮定して、物語をつくってみてください。

あなたのつくる物語のなかで、あなたは世界の創造主です。

どこまでもイマジネーションを広げてみてください。その自由な思考は、将来、何かイノベーションを起こすヒントになるかもしれません。

「もし、なかったら？」を想像する

さらに、実際にいまあるもので、「それがなかった世界線」を想像してみることも、固定観念を外す方法として、有効な手段です。

1．もし、車がなかったら、どんなふうに移動していただろう。
2．もし、重力がなかったら、どんな建築物がつくられただろう。
3．もし、寿命がなかったら、人はどんな暮らしをするだろう。

2の「重力がなかったら」を想像してみましょうか。
地球上に住む私たちは、皆、重力の影響下に存在しています。水は下に向かって流れるので、キッチンの蛇口の下はシンクになっています。私たちは、蛇口の下で器を洗い流します。建築物は、重力を用いて、積み上げたり吊り下げたりして、安定させています。重力がなかったら、まったく違う形にならざるを得ません。

そしてもしかすると、「問題が山積み」とか「積み上げた実績」などの言葉も、存在しなかったかもしれません。『積む』という言葉は、重力があることが前提だからです。

また、3の「寿命がなかったら」はどうでしょう。これを考えることで、人生観が揺さぶられるのではないでしょうか。

自分がずっと生き続けるならば、「誰かを育てる」「何かを残す」ことに、果たして意識が向くでしょうか？　命に期限がないならば、生きるうえでの活力や好奇心をずっと維持することはできるのでしょうか。私たちは何のために生きているのでしょうか。そんな人生の問いが浮かんできます。

いろんなものごとを、「なかったことにしてみる」と、いま、自分が拠り所としている価値観、それがないと前提条件が全部崩れてしまうというポイントを探ることができます。前提がなくなった地点から想像力をふくらませてみることで、自由な創造ができるようになるのではないでしょうか。

不思議な夢を思い出す

私という自我の先にある世界

スイスの精神科医で心理学者であるカール・ユングは、人間の深層心理について研究しました。ユングは人間の意識を「意識」「個人的無意識」「集合的無意識」に分けました。

「意識」とは、起きているとき、自分が世界に対して開いている意識のことです。

「個人的無意識」とは、個人の体験から構成された自覚していない意識のことです。それは普段は無自覚なものです。しかし、深い部分で意思決定の基準になっています。なぜか不意に選んでしまうものや、なぜか不快に感じるものなどは、自覚のない過去の人生体験、心地よかったことや、逆にトラウマが影響している場合があります。

「集合的無意識」とは自分の体験ではなく、人類が共通して持つ無意識的な考え方の型と説明されています。もう少しわかりやすくお伝えすると、誰に教わったわけでもないのに持っている感覚です。太陽＝大きな、崇拝対象のイメージ、自然＝癒されるもの、女神＝母性的なイメージ……。いろんな場所で自然発生的につくられてきた神話やおとぎ話のシンクロする何かなどです。国や民族、時代を飛び越え、普遍的です。

三つの意識を氷山でたとえるならば、海面から上にでている部分が「意識」、海面下に沈んでいる部分が「個人的無意識」、そして海が「集合的無意識」です。

つまり、個人の体験を超えたさらに深いところに海があり、海が人類をつないで、共通のイメージや考え方が存在しているという状態です。

ユングはさらに、夢を分析することで統合失調症などの患者を治療していきました。現実的な経験を超えた超現実的な夢、実際に見た映画の記憶とはまるで違う、空想の物語を夢で見たことはありませんか？　この夢はいったいどこから来たのか？

ユングは、その体験は「集合的無意識」、つまり人類が共通して持っているイメージの海から来たのだと考えました。

ユングの師匠である、心理学者で精神科医のフロイトは、ユングの説に否定的でした。そして、人の精神については、現代もなお、多くが解明されていません。

「自分の想定する自分の意識」だけでなく、さらに広く自分の意識やアイデアが世界に共有財産として存在しているとしたら、あなたのなかの「自分」とは、いったいどこにあるのでしょうか？　胸のなかでしょうか？　頭のなかでしょうか？　体全体に散らばっているものでしょうか？　それとも、世界全体に散らばっているものでしょうか？

自由な思考の根本には、「自分で選択してきたこと」と「自分で選択をしていけること」があります。

自我を持ち、自分の人生の舵取りをして、自分で選択する。

その先に、「自我」を一時的に手放せる、心地よい時間を日常に持つことです。夢や見えないものは、オカルトのように思われるかもしれません。しかし「自我」を一時的に手放して、自分を自然の一部として感じることもまた、自分に力を与え、自由な思考を保つために必要です。

サンクコストにこだわらない　捨てる勇気

いままで費やしてきたことで、いまやめても回収できないもののことを「サンクコスト」といいます。金銭的なコストだけではなく、時間・労力などのコストも指します。パチンコで○円をつぎこんで、いまやめるとマイナスになってしまう、などがわかりやすい例です。この場合は使った金額のことを指します。いまやめると、ここまで投資した分が水の泡になってしまう……。そのように気がついたとき、そこでやめるか、続けるか？　この二択が発生します。

続けると、回収できる見込みはゼロではありません。もしかしたらどんでん返しでプラスになるかもしれません。しかし、回収できなければ、サンクコストはさらに跳ね上がってしまう。

日常の生活でも、心当たりのあることではないでしょうか？

自由な思考ができないとき、こうしたサンクコストにこだわっている可能性はないか、想像してみてください。

いままで我慢したのだから、ここで会社を辞めるともったいない。
これだけ貢いだのだから、これで別れるのはいやだ。
ここまで揃えたのだから、いまさら一から家を探すのは骨が折れる。

自分の時間や労力をかけただけ、そこから何かを回収したいという気持ちになります。やがては執着になり、そこから逃れられなくなってしまいます。

知らないうちに、変化を拒否し、執着していた、という経験はないでしょうか？

サンクコストには重要な視点があります。お金、労力、時間のうち、唯一、絶対に回収できないのは「時間」だという視点です。他は生きている限り、いろんな回収の仕方があります。しかし、進みゆく時間だけは、絶対にもとに戻すことができません。

過去にどれだけのお金、労力、時間をかけたかということではなく、ここから未来に対して、どれだけのコストをかけていくか。未来へ持っていくものと、そうでないものを区別する。それは、過去を見ていても見つかりません。

自由な思考を持ち、過去ではなく未来のための決断をするために、こだわりを手放していく。

いま、あなたがこだわっているものはなんでしょうか？

絶対にこれから先も手放せないものはなんでしょうか？

まさか、ということが人生では起こります。不意に手放さなくてはならないこと、変化しないといけないこともあります。そのときに、すぐに心の動くほうを選択できるように思考を整理しておきたいですね。

第4章

「私らしい言葉」を持てば人と深くつながる

デザイナーからの学び　課題を見つける

さまざまな「ものづくり」の職業がありますが、なかでも「デザイナー」という職業を定義すると「クライアントの課題を解決する職業」だと私は捉えています。

たとえば、「髪の毛が広がる」「実年齢より若く見せたい」「朝セットしやすくしてほしい」などの課題を解決してくれる美容院のスタイリストという職業は、そういう意味ではデザイナーの一種ではないでしょうか。

さて、ところであなたは、美容室でヘアスタイルをオーダーする際に、どのような伝え方をしますか？

「耳は出して、前髪は眉毛より15ミリ上に」と、細かくオーダーをする人、「俳優の○○みたいな感じ」と写真を見せる人、「もっと、可愛く」「スッキリ見せたい」と抽象的なイメージで伝える人など、さまざまでしょう。

スタイリストの技術を持ち合わせないお客さんは、具体的な指示出しをすることなどできません。スタイリストは抽象的に伝えられたイメージから、お客さんの持つ悩みや課題を引き出す対話をしてくれます。

たとえば、目指す印象を大まかに把握するために、「可愛く見せたいのか、きれいに見せたいのか」と質問したり、お客さんに見せられた俳優の写真を見て「この俳優のどんな印象に近づけたいのか」と、より具体的な質問をしたりします。きっと、プロにしかわからないアプローチがあるはずです。

具体的な指示出しをできない仕事を誰かに頼むとき、私はゴール地点だけ共有します。ゴールに至るまでのプロセスは、相手を信じて任せるほうが、良いものに仕上がると思っているからです。信頼して任せることで、プロのデザイナーは自分の美意識を、私が具体的に指示できなかった抽象的な部分につぎ込んでくれるからです。

お客さんは問題を解決してもらう。

代わりに、デザイナーは経験値を上げてもらう。

もしかするとオーダーとは、自分のお願いを伝えることではなく、デザイナーに問題を引き出してもらうことなのかもしれません。自分だけでは見つけられなかった課題を、一緒に見つけてもらって、解決していくこと。

すべての仕事でこんな充実した関係を育むのは難しいでしょう。しかし、人がせっかく働くならば、なるべく多くの仕事で、お互いの成長を促し、喜べるような関係が成り立ってほしいと願います。私にとって、そのようなプロフェッショナルとの対話は、とても心地よいものです。

第4章では、人との対話について考えていきます。スタイリストとお客さんの話もその一つの例でした。いろんな場面で、心地よく、成長できる関係が築けるといいですよね。「私らしい言葉」がきっとコミュニケーションの味方になってくれます。

具体化と抽象化で本質に迫る　「なぜ」を重ねる

「Aとかけまして、Bと解く。その心は？」という定型文で投げかけられるのが、謎かけです。日本の演芸として発展した言葉遊びです。答えに気がつくと、脳内がスカッとする「アハ体験」を経験できます。

第1章で取り上げたような巧みな比喩表現にもまた、謎かけと同様の作用があるのではないかと思います。


感性のある言葉を使う人は、「そう、それが言いたかった！」とつい納得させられるような言い換えをするものです。


日本のクリスマスは、恋人たち、もしくは子どもたちがプレゼントをもらうイベントというイメージが強いですよね。一方、欧米では、クリスマスは家族と過ごすものです。これは、日本人の肌感覚としては、わかりにくいところがあるでしょう。

そこで、「欧米のクリスマスは、日本のお正月みたいなもの」とたとえられたらどうでしょうか。「毎年同じような料理をつくり、離れて暮らす家族が集まり、みんなでお祝いする。クリスマスツリーは、鏡餅や門松みたいなもので、毎年家を飾るもの。その日には神様や妖精が天から降りてくる」。

そんな風に表現することで、欧米のクリスマスという行事の大切さや意味までよく理解ができるのではないでしょうか？

人に伝えるのが上手な人は、このように「置き換え」を使って具体的に説明するのがとても上手です。他と置き換えるためには、ものごとの本質を捉える能力が必要です。「本質を捉える能力」は、ものごとを具体化した末に再び抽象化することで磨かれていきます。まず、くり返し「なぜ？」と問いかけて、その答えを細かく因数分解していきます。

たとえば、「なぜ、家業を継ぐのか？」という問いに対して、「父が起こした事業を残すため」という答えがあるとします。そこから、さらにさまざまな問いを投げかけます。


「事業を残していくのは、子どもでなくてはならないのか？」

「他人ではダメならば、血縁にこだわるのはなぜ？」

「家を残すのが目的なら、別の事業でもよいのか？」

「いまの事業にこだわるのはなぜか？」

「事業の技術を残すことが目的なら、外注でもよいのではないか？」

「雇用し、内製にこだわるのはなぜか？」

一つの問いに答えることによって、さらなる問いが発生してきます。そしてこれ以上割り切れないというほど、具体化し考え抜かれた末の言葉、素数になった答えが、その抽象的なものごとの本質です。

ついにものごとの本質を理解できれば、「なぜ、家を継ぐのか？」についての答えを自分の言葉でうまく説明することができます。

「私らしい言葉」は、本質まで行き届かないと浮かび上がって来ないのです。

思考ツリー　本質を捉えるテクニック

自分らしい言葉で表現するためには、まずものごとの本質を捉えなくてはなりません。そして、その本質を自分のなかにあるユニークな表現でアウトプットすることが大切です。《言葉の原石》を磨いてアウトプットするということです。

「本質を捉える能力」を身に付けるには、第2章で紹介した自己対話も効果的ですが、「思考ツリー」で整理していく方法も有効です。

商品開発なり、プロジェクトの立ち上げなり、それが何なのかという本質を人に説明する必要があるとき、私はよく思考ツリーをつくります。思考ツリーは、マインドマップというメモの手法を使って、誰にでもつくることができます。

さっそくその方法を確認しましょう。

まず大きな紙を用意します。その中心にキーワードやイメージを書きます。そのキーワード／イメージから、放射状に枝を広げ、連想することや想像することをどんどん書いていきます。ある種のブレインストーミングですね。

ここでは、いま自分が深く考えておきたいことをキーワードにしてみましょう。たとえば、子育て世代が将来的に望んでいることとして「地方移住」をキーワードにしてみます。すると、課題として「転職」「転職せずにリモートワーク」「子供の小学校」「希望の都道府県」などが上がってきます。

「希望の都道府県」の先には、「会社へのアクセスが安い」「生活コストが安い」「家が広い」などのキーワードが出てくるでしょう。人によっては「美味しいレストラン」「海が近い」なども出てくるかもしれません。また「転職」の先には、「リモートワークできる職種」「資格」などのキーワードが上がってくるでしょう。会社のこと、仕事のこと、社会のこと、自分のことでも構いません。真ん中に書き出したそのテーマから、最低5つ、連想するキーワードを放射状に書き出します。その5つのキーワードから、さらにまた連想するワードを複数書いていきます。こうして、ツリーのように枝をぐんぐん伸ばしていきます。最終的に大きなツリーができるよう、思い付いたものを、あまり深く考えずに書き進めていきましょう。

何かを考えているとき、人は、過去と未来、哲学的な概念と日常のリアル、抽象と具体を行き来しながら思考しています。脳の神経細胞の伝達スピードは、人間が何かを書くスピードより、圧倒的に速いのです。しかし、速すぎるために、思考がいろんなところに飛んでしまい、思い付いたことを忘れてしまう場合があります。

また、せっかく一つのことを考えていても、スマートフォンの通知に遮られたり、食べものの匂いに反応したり、すれ違う人の会話が耳に入ったりします。集中して一つのことを考え続けるのは、なかなか難しいのです。

その点で、紙に書いて整理していく方法は効果的です。

なるべく、他のことに気を取られない環境をつくって、30分なら30分。時間を決めて集中してみてください。一つのキーワードから派生していくワードは、ときに重なり合ったりしながら、広がっていきます。

大きなマップができたでしょうか。

それは、あなたのアイデアが詰まった思考ツリーです。

普段見えていなかった部分が、言語化されたのではないでしょうか？

集中し、あまり深く考えすぎずに次々と連想していく行為が、論理と感覚のバランスを取ってくれます。

ユニークな表現のきっかけとなる、ものごとの本質を、ぜひ引き出していきましょう。

発想を広げると、より面白いアイデアや考えを導き出すことができるでしょう。

ゴールを共有する　対話を有意義にする

プロジェクトには終わりがあります。１ヶ月で終わるプロジェクトもあれば、ビルの建設のように何年にもわたるプロジェクトもあります。どんなに大きなプロジェクトであっても、小さなゴールを設定し、節目を付けて一つずつクリアしていくことは大切です。

「終わりをイメージする」というのは、「最終的に自分がどうなっていると嬉しいか」を突き詰めて考えることでもあります。プロジェクトが終わるとき、私はどんな人に成長し、何を得ていたいのか？　経験？　お金？　地位？　ゴールを整理してみましょう。先ほどの「思考ツリー」が使えます。

まず、紙の中心には自分の名前を書きます。その下にプロジェクト名を書きます。そこから、連想する「いま、自分が持っている能力」「将来、自分が得たい経験」「将来、自分が得たいお金」などをどんどん書いていきます。

こうして自分を客観視し、プロジェクトのゴールが定まれば、それを、プロジェクトの協働者と話し合っていきます。携わるそれぞれの人たちのゴール（落としどころ、メリット、最終イメージ）は、どこにあるでしょうか？

具体的に4つの視点から言語化してみましょう。

✓自分の最終イメージはどこにありますか？（1の視点）
✓協働者の落としどころ、メリット、最終イメージとすり合わせると、どんな景色が見えますか？（2の視点）
✓プロジェクトをやり遂げると、世界の景色はどう変わるでしょうか？（3の視点）
✓数年後から10年後、未来の景色はどのように変わるでしょうか？（4の視点）

近江商人の有名な経営哲学に、「三方よし」があります。「売り手よし、買い手よし、世間よし」。これは「売り手と買い手が満足するのは当然のこと、社会に貢献できてこそ良い商売といえる」という考え方です。

私はこの三方にもう一つ、「未来」という軸を加えて、「四方よし」の視点で考えることを、とても大切にしています。

プロジェクトは商売（仕事）だけではありません。人間関係に置き換えることもできます。夫婦関係も、友人関係も、一つのプロジェクトと仮定し、その協働のゴールを丁寧に話し合うことは大切です。そのパートナー、その友人と共に過ごす意義、そしてゴールを、4つの視点から整理するのです。

プロジェクトに関わる人たちとゴールを共有できれば、そのゴールは自分たち関係者のためだけにとどまらず、社会や未来のためになる地点を目指すという視点まで追加できるようになります。

自分だけのものだった最終イメージを、協働者と共有する。
そして、その人の最終イメージと掛け合わす。
さらに、その先にある、社会や世界の将来像も掛け合わせていく。

これからの時代、ビジネス、家族、友人、コミュニティ、どんな人間関係であっても、大きな視点が必要になると感じています。近年、世界的に社会課題の解決や、持続可能な社会の実現を経営理念とする会社が増えています。自社の利益を考えているだけでは、企業としての未来がない時代になっているのです。他者や社会、地球のためになっていく企業を、消費者が選べる世の中になったのです。

この社会で、しあわせに生きていくためにも、自分のゴールを言語化しておくことがとても大切なのです。それは、自身のパワーエンジンをより強く、大きなものにすることにつながります。

言葉のすり合わせ　対話にあたって

何かについて話すとき、その主題となる言葉を定義しないままに話を進めたせいで、どんどん嚙み合わなくなった。そんな経験はありませんか？

「海に行こう！」と提案したとします。ある人は、漁船の並ぶ日本海に行き、朝の市場を見学する光景を想像するかもしれません。ある人は、白い砂浜とエメラルドグリーンの海が広がるビーチで海水浴をする光景を想像するかもしれません。

「海に行く」という主題について、それぞれが持つイメージをすり合わせておかないと、「え、水着が必要なの？」「なぜ、早朝に？」ということが起きます。

言葉とは、一つのものごとを指し示す「記号」の体系である。そう定義したのは、18

00年代半ばにスイスで生まれた、言語学者で哲学者のソシュールです。ソシュールは、近代言語学の祖といわれ、「シニフィエ」(signifié)と「シニフィアン」(signifiant)という言葉を生み出しました。

「海」という語で説明してみます。「シニフィエ」とは、地球上を覆う水、塩水、波といったイメージや概念です。「シニフィアン」は、「海」「sea」などの言葉や音を指します。私たちはシニフィエとシニフィアンを結び付けることで、一定のイメージや概念を「海」として認識し、それを「海」という言葉(記号)を使って表します。

つまり、語彙を学ぶとは、イメージ/概念と言葉をつなぎ合わせることです。

ところが、「海」といっても、その言葉(記号)が示すイメージは、人や状況によってさまざまです。「犬」と聞いて、立派な大型犬を想像する人、可愛らしい小型犬を想像する人、誰かの言いなりになる人を想像する人など、それぞれです。

言葉という記号を使って対話するとき、その記号はその人の経験、文化や社会、見聞きしてきた知識の上に成り立っていて、みんなが同じものをイメージしているとは限りません。

そのように、言葉の定義には誤差があることを頭に置いて、対話することが大切です。「誤解」やすれ違いが生まれないよう、相手のシニフィエを探って、イメージをすり合わせます。すり合わせは誤解を減らすだけではありません。いままで自分だけのものだったイメージ（言葉の原石）を他者と共有することで、一体感や安心感が生まれます。人との信頼が深まるのです。

「あの銭湯のお湯、熱かったなあ」
「あの裏山、どんぐり、多すぎて滑ったよね」

こんな思い出話ができる幼なじみを大切に想う気持ちというのは、互いに通じるシニフィエを多く持っているからかもしれません。

私の祖父母は二人で話しているとき、互いに違う話をしているのに、あたかも話が通じ合っているかのように、言葉のキャッチボールをしていました。きっと二人は、シニフィアンが合っていなくても、シニフィエを共有できていたのだと思うのです。

あなただけの「あの海」の景色、「あの紅葉」の赤さ、「あの麻婆豆腐」の辛さ。そのイメージを、話し相手とすり合わせていくのは面倒な作業かもしれません。だからこそ、シニフィエを共有できる人、シニフィエを合わせることができた相手を、私たちは「大切な人」と思うのかもしれませんね。

対話の名手になる　話し上手は聞き上手

話題が豊富な人には、聞き上手が多いです。

聞き上手な人は、相手の話の深掘りできそうなところをうまく見つけて、返球します。いい感じの球が返ってくるので、相手も楽しくなります。人の話を深掘りできる人とは、「人に興味がある」人です。あまり苦労をせずに人の話を聞ける人です。

営業マンの知人は、営業の仕事で成果を上げるには、「人のことを好きになるのがいちばんの近道」だと言っていました。

もしあなたが、会話に行き詰まらない人になりたい、聞き上手になりたい、心に響く言葉が言えるようになりたい、と思っているならば、まずは「人に興味を持つこと」からはじめてみてはいかがでしょう。

私はいろんな人から、その人生の話を聞くのがとても好きです。特に、その人の歩み、大きな選択について興味があります。

仕事で知り合った複数のカメラマンに、なぜカメラマンになったのかを尋ねた時期がありました。カメラマンは「この世界の一瞬」をたくさん知る職業です。そして、自身が写真に写り込むことは、ほとんどありません。「ファインダー越しに見る世界」と「彼ら自身」の距離感というものに、興味が湧いたのでした。

あるカメラマンは、「この世界は、視線の集積だ」と言いました。この世界には、絶対的な創造主もいなければ、絶対的に正しいこともない。この世界の一人ひとりの「個人的で独立した視点」から、世界が成り立っているというのです。

彼は他者との距離を保ちながら、かと言って、雑に「自分とは違う誰か」という大きすぎる概念で世界を捉えているのではないのです。個人や個性への温かい気持ちを持ちながら、その集まりとして世界を認識している。その生き方に圧倒されました。
また別のカメラマンは、自身を「記録係」と表現しました。そして、幼少期の話をしてくれました。彼の生まれ故郷は埋め立て地でした。埋め立て地は、道路も計画的に整備され、公園などの緑地化もきちんと行われている場合が多いそうです。反面、新しい土地なので、古くからの神社や寺がなく、伝統の祭りなどもありません。だから強烈に、古くからの文化や歴史のある場所に惹かれたそうです。そして、自分は文化や人の営みを記録する人になりたい、と。

人には歴史があります。私は個人の歴史語りに、美しい本を読んだあとのようなものを感じます。だから人の話を聞くことが好きなのだと、わかりました。

もちろん、もともと人にあまり興味がないという人もいるでしょう。そういう場合、あえて、こう提案してみます。
「自分が興味を持てる人を探してみてください」と。

人と知り合い、「もう少し話してみたい」「もう少し知りたい」と、アンテナがぐぐっと反応するときがありますよね。そういう人が現れたとき、誰かに興味を持ったとき、人は自然と質問をします。ですから、自分が興味を持てる人を見つけたらどうか、という提案です。

そういう人に出会ったら、ぜひ質問を投げかけてみてください。対話は、話を聞き出すことからはじまります。

聞くとは　エンパシーを身に付ける

インタビュアーやファシリテーター、こうした人の話を聞く仕事は、豊富な知識とスキルが必要です。しかし、何よりも大切なスキルは、相手に対する想像力だという気がしています。

話し手がいちばん伝えたいメッセージを理解し、それが伝わるためには、対話がどのような方向に広がるとより話し手が魅力的かを考えることは、話し手の人生を想像し、寄り添うことだからです。

英語に「put myself in someone's shoes」というイディオム（慣用句）があります。そのまま訳せば「誰かの靴を履く」、つまりは「誰かの立場に立つ」という意味です。
誰かの人生の山や谷を高い解像度で想像できるかは、その人と似た感情を経験したことがあるかが関わります。重要なことは、その経験をすでに消化しているか、客観的に眺められる冷静さを持っているかです。

日本語の「共感する」にあたる英単語には、「sympathy」「empathy」「compassion」があります。この三つは、いずれも「人の気持ちになって感じること」を指しますが、微妙な違いがあります。

「Sympathy」（シンパシー）は「同情」に近い感情です。誰かの気持ちを想像したり、配慮したりするというレベル。家族を亡くした人に対して「お気持ちをお察しします」というようなときがそうかもしれません。その人の悲しみを想像して理解できるけれど、自分自身は亡くなった方に対する強い悲しみの感情はないようなときです。具体的に何かアクションを起こすほどではないものの、自分の心に「相手を労う感情」が湧き起こるような場合です。

「Empathy」（エンパシー）とは、もう少し踏み込んだ感情です。その人により深く感情移入していて、その人の立場になって気持ちを感じ取るようなときがそうです。何かしてあげたいと感じたり、深く共鳴したりして、できごとを自分ごととして捉えます。

「Compassion」とは、さらに深く、衝動を伴うような共感です。「居てもたってもいられない」「実際に何かアクションを起こしたい」というような想いです。その人のために献身的に何かしたいという強い感情です。

みんなにとってしあわせな社会を目指すとき、ものごとを自分ごととして捉える「Empathy」はとても大切なスキルだと思うのです。その人の立場になることで、その人が切実に必要としていること、メッセージが見えてくるからです。

「Empathy」を持って人に接するためにも、「心の経験値」を上げていきたいですね。心の経験値とは、自らの体験を、言語化して自分の知恵に昇華したものとしましょう。必ずしも誰かと同じ経験をしている必要はありません。「あの海」の「あの」がわかるように、人生の山と谷を知る人は、人生で出会ってきた「あの風景」「あの感情」をたくさん知っている、知ろうとしているということです。

自らの経験を積まずして、人の経験や気持ちを想像し、寄り添うことはできません。嬉しい経験も、ハードな体験も、人とつながり、人を癒し、人の魅力を引き出していく。そう考えると、あらゆる経験は無駄ではない、と改めて納得できませんか？

相手との境界線を探る

相手に共感を寄せるとき、もう一つ、とても重要なことがあります。それは、相手との「境界線を探る」ことです。

共感力がとても強い人のことを、最近では「ＨＳＰ」（ハイリーセンシティブパーソン）と呼ぶことがあります。ＨＳＰの特徴として、ものごとを深く受け止めさまざまな思考を巡らせる、刺激に対して繊細である、高い共感力を持っている、などが挙げられたりします。

たとえば人の愚痴についずっと付き合ってしまう人などは、こうした傾向があるかもしれません。人の立場に寄り添いすぎる人、人よりも自分のことを後回しにしてしまう人、人のことを想って傷付いてしまいがちな人などは、とても優しい個性を持っています。しかし、それも度を越すと、自分が疲れてしまいますよね。

自分が疲れてしまわないよう、うまく線引きをするにはどうするといいでしょうか。それは、割り切って「自分にしか解決できないこと」と「その人にしか解決できないこと」を区別することです。

たとえば、親友が離婚の危機に直面しているとします。親友の苦しさや悲しさを理解できるし、夫婦間に起きている問題も親友の立場で共感することができる。そして、もちろん手を貸し、力になりたいと思う。

しかし、結局のところ、実際に夫婦関係を続けるか否か、その結論を出すのは友人であって、あなたではありません。もっと言えば、親友を励ますことはできたとしても、実際に気持ちを整え、立て直し、前を向くことは、親友本人にしかできないことなのです。

「私は別れたほうがいいって言ったのに、ヨリを戻したんだ。私の話を聞いてない」

これは、親友が解決すべきことを、自分ごとにしてしまった例です。友人を自分の思うようにコントロールしようとしています。

人と自分とを区別する心の境界線を「バウンダリー」と言います。バウンダリーをつくることは、ヘルシーな人間関係をつくることです。人を他者として尊重することは、「あなたらしい言葉」を持つうえでも、いちばん重要なことです。

その人の話を聞き、共感を寄せることと、その人に助言し、思いどおりに動かそうとすることとは同じではありません。あくまでも自分とは違う他者の物語として、話を聞き、共感する。自分とは違う他者として、その人に心を寄せ、尊重し、その人の気持ちになって考えることが大切です。

あなたが相手にかけたその言葉は、本当の意味で思いやる言葉でしょうか？
それとも、無意識に相手をコントロールしようとする、自分のための言葉でしょうか？

あなたの心の境界線はどこにありますか？　しっかり確かめてみてください。

境界を越えてくる人　逃げる決断

たとえあなたが、きちんとバウンダリーを引き、良好な人間関係をつくろうとしても、それを平気で乗り越えようとする人はいます。

そんなに関わる必要がない相手ならば、自然に距離を取ればよいでしょう。しかし、そうではない人、たとえば家族、パートナー、親しい友人、同じ職場の同僚ならば、それは問題です。

自分の時間、空間、自由を奪われないように心がけていても、その領域に踏み込まれてしまう。そうした状況を許し続けていると、だんだんとバウンダリーは曖昧になり、やがて「共依存」の関係がつくられてしまいます。

共依存とは、最近さまざまな本でも説明されていますが、もとはアメリカで、アルコール依存症の方とその配偶者との関係から生まれた言葉です。

アルコール依存のパートナーを持つ人たちは、パートナーの飲酒問題を何とか解決しようとします。飲酒で起こす人間関係のトラブルを尻ぬぐいしたり、失敗をフォローしたり、飲酒のせいで崩壊しそうな家庭を必死で支えたりします。しかし、いつの間にか、その奮闘が、悪循環を生みはじめます。必死になって助けようとするほど、アルコール依存症当事者は、自分の健康や社会生活、家族のことに責任を持たなくなってしまうのです。そのせいで、また余計に必死になって支えようとする。やがて二人の関係は、「助けること」と「助けられること」だけで結び付いたものになり、お互いに離れられなくなるわけです。

このように、互いに強く依存し、バウンダリーがなくなってしまう状態を、「共依存」と呼ぶようになりました。

「優しさ」「共感」「愛情」「支え合い」、そうした思いやりからはじまったはずの行動が、気がつかぬ間に、取り返しのつかない、ネバネバ、ドロドロとした関係、もはや癒着になってしまうということがあるのです。

どうして、そんな状況になってしまったのでしょう？　きっかけは、気に留めるほどでもない小さなバウンダリー越境行為だったはず。

人とヘルシーな関係を保つためにも、その人とのゴールを決めるためにも、最初にその距離感に違和感を覚えたならば、言葉にして共有しておくことが大切です。

上手な不満の伝え方

主語は「私」で

人との関係が深くなると必ず付きまとう問題が、怒りや不満といったネガティブな感情をどう伝えるかということです。

大切な関係、長い関係になるほど、相手の嫌な面が見えてくるのは当然のこと。決しておかしなことではありません。

ネガティブな感情が湧き起こったとき、しばらく離れることができる環境ならば、やがて忘れると割り切って時間に任せることもできます。それでも、時間で解決できないわだかまりはありますし、ずっと燻らせているとある日、暴発しかねません。また、毎日顔を合わすような関係であれば、見て見ぬふりは現実的ではありませんよね。

そこで、対話が必要になります。

攻撃的にならずに、どのようにしてうまく自分の不満を伝えるか。これには、実践しやすいスキルがあります。それは、一人称（主語＝自分）で話すこと。

つい攻撃的になってしまう人というのは、二人称（主語＝あなた）で話しがちです。たとえば、パートナーがいつも靴を脱ぎっぱなしにしていて、あなたはそのことに不満を持っているとします。

「あなた（＝二人称）、靴を脱ぎっぱなしにしないでよ」

こう言われると、相手は名指しされて、とても責められていると感じるでしょう。これを、「私」を主語にして言い換えてみましょう。

「私（＝一人称）は、玄関をきれいに使いたいよ」

こう言われると、相手に相手なりの解決策を考える余地を与えることができます。私はこうである、あなたはどうするのか？　というわけです。

「たしかに、そうだね。気をつけるね」と相手が答えたにもかかわらず、まだ改善されない場合は、靴箱を片付けやすいものに変えるとか、忘れないようにメモを貼っておくといった、別の解決法が必要になるかもしれません。

こうしたコミュニケーションの積み上げが、不満を解決し、円滑な関係をつくっていくという作業です。

ちなみに、パートナーが「あなたが玄関をきれいにしたいのなら、勝手にやればよい。私は片付けない」と言ったとします。平行線です。これは対話を重ねられるような良好な関係とは言いにくいですね。関係そのものを考え直す必要があるかもしれません。もしくは、もっと深いところに、別の不満や課題が潜んでいるのかもしれません。

また話し合うときに、改まった口調で話すと、その言葉は重くなります。必要以上に重い言葉になると、相手も自分も、余計に身構えてしまいます。

深刻にならずに伝えられるような関係を、日頃から構築しておくこと。

言葉が重くならないように、不満を溜め込まないこと。

深刻なフェーズになってしまったら、「私は」の主語を心がけること。

対話は、相手とつくってきた関係の上にしか成り立ちません。自分とまったく同じ考え、性格、趣味嗜好の人は、世界にはいません。だから必ず不満は生まれます。不満はポジティブに捉えれば、互いのことを知る良いきっかけです。強い絆や関係をつくる強力な接着剤になってくれることもあるのです。

マウントを取るとは　恥を隠して武装する

誰かと話して、有意義な時間だったはずなのに、なんだかどっと疲れたという経験をしたことはありませんか。もしかすると、恥をかかないよう理論武装した「マウント取り屋さん」がいたのかもしれません。

恥という感情は、生まれたときにはありません。ある程度、成長してから学ぶ感情だと言われています。何か失敗をしたときに、周りの目を気にして自分が抱く社会的な感情ですから、親に守られた世界で恥をかくのは難しいのです。

保育園や幼稚園、小学校に行くようになり、社会のなかでの自分の振る舞いを見たときに、「羞恥心」が現れます。

日本は「恥の文化」と言った人がいます。アメリカの文化人類学者R・ベネディクトが『菊と刀』のなかで使った言葉です。日本人は世間体を考え、それによって自分の行動を正していき、社会を構成します。確かに「恥」という感情は、日本人の行動規範のいちばん深い部分にある感情なのかもしれませんね。

では、どんなときに、人は「恥」を感じるでしょう。

恥ずかしいという感情は、「自分／他者がイメージ、期待している自分との乖離」によって生じる感情です。つまり、期待と現実とのギャップで起こります。

たとえば、自分は勉強ができると思っていた（期待）けれども、試験に合格できなかった（現実）。このときに「現実の自分を否定する」感情が起こります。それが「恥」という感情です。自分を否定する感情なので、「恥」を感じ続けることは、自己否定につながります。だから人は自分を守るためにも、恥をかかないようにしようとします。そして恥をかくと、それを否定するかのように自信たっぷりに振る舞ったり、本当は自分は期待以上の人間であるとアピールしたりするわけです。

こうした行為は防衛本能（182ページ）の一種ですが、本人も周囲もそのことに気づいていない場合があります。身の丈以上に自分を過信したり、周囲も「自信のある人なんだな」「すごい人なんだな」と思ったりということが起こります。

人と対話するときに、自分を身の丈以上に見せようとする「マウント取り屋さん」も同じです。恥をかかないように、理論武装で自分を守ります。恥ずかしい部分を隠すために、パワーを誇示します。そのとき対話の意識は相手のほうを向いているのではなく、「恥を見せない自分」のほうに向いています。自分の不足を埋めるための対話なので、ある意味対話になっていないのです。

そういう人と話していると、その人の考えのなかに入っていこうとしても、なかなかうまくいきません。結局、表面的な話にしかならず、疲れてしまいます。

悩みを話すときに

「解決案型」と「共感型」

O・ヘンリーの「賢者の贈り物」という物語をご存じでしょうか？

貧しい夫妻がいました。二人はそれぞれ、相手にクリスマスプレゼントを買うお金を工面しようとします。夫は祖父の代から受け継いできた大切な金の懐中時計を質に入れ、妻の美しい髪を梳かすためのクシを手に入れました。妻は夫の金時計を吊るためのプラチナの鎖を贈り物にしようと、自分の美しい髪を売りました。

二人は互いを想うがゆえ、自分がいちばん大切にしていたものを手放し、相手へのプレゼントを買いました。プレゼントは結局使うことができないものになってしまいました。しかし、この行き違いによって、二人はいちばん大切なものを発見することができたのです。

夫婦の美しい物語ですね。互いを想っての行動が、互いへの気持ちを照らし出しました。

「賢者の贈り物」は男女双方が、互いの想いを汲み取ろうとした結果を書いた物語でしたが、多くの関係はなかなかこうはいかないようです。男女間のコミュニケーション方法については、これまで多く語られてきましたし、いまもなお、パートナーシップをテーマにした本はなくなりません。それほど普遍的な課題だということです。

男女のコミュニケーションでよく言われるすれ違いの原因は次のようなものです。

男性は「解決案を伝えるため」に対話をしている。
女性は「共感を求めるため」に対話をしている。

なぜ、一般的に言われるこうした違いが起きるのでしょうか？　その原因の一つに、男女間では、幼少期から培ってきた「自己の確立方法」の違いがあると思います。残念ながら社会には、「男の子なんだから」あるいは「女の子なんだから」と、性別を含むさまざまな属性で個人に「らしさ」を押し付けてしまうところが、いまも少なからずあります。

たとえば、男性は子どもの頃から、社会的指標で評価される傾向があります。走るのが速い、サッカーがうまい、成績がいい、いい大学に進学した、年収が高い、など。わかりやすく数字で指標化される競争のなかで秀でることが求められがちです。そのため「誰かの優位に立つという競争のなかで、自己の確立」をしていくことになります。

一方で女性は、優しさ、愛嬌、友人やグループへの帰属意識など、どちらかと言えば「共感性の高さによる、社会とのつながりの大きさや深さにおいて、自己の確立」をしていくことが求められがちです。

もちろんこれは、「一般的な傾向」というだけで、すべての男女に当てはまるわけではありません。競争のなかで闘う女性もいますし、共感や帰属を求める男性もいます。こうした社会通念や価値観を押し付けないよう意識するのが、いま、そして未来のあり方になってもいくでしょう。

また、個人の人生でも、その時々のタイミングで求めるものやスタンスが変わります。ですので、ここから先は、何か問題が起きたときの向き合い方の違いから、「解決案型」と「共感型」という二つの型で見ていきましょう。

「解決案型」の人は、誰かとの対話で何かしらの課題が見えたり、人から悩みを相談されたりしたときに、まず、この問題を「解決」するために、自分にできる行動を一生懸命に考えます。

そして、解決策を伝えるときに、問題や課題を論理的に考えて分析し、場合分けして伝えようとします。

「（あの段階で）〜したのが間違いだったのではないだろうか？」
「（ここから先の段階では）〜に気をつければ改善するのでは？」
「そもそも（最初の段階で）〜ということはないか？」

これは、問題を解消してあげたいという相手への思いやりで「愛情」です。しかし、「共感型」の人にはその気持ちが伝わりにくいということがあります。

「共感型」の人が何かを相談するとき、相手に求めているものは、傾聴してくれることだということがよくあります。解決策を提示してもらうことではなかったりするのです。聞いてくれて、共感してくれる。「傾聴力」がいちばん大切で、極端にいえば「アドバイスなど必要ない」というケースもあるほどです。

ただただ、悩みや感情を共有したい。共感してもらい、あとは笑って、気分さっぱり。それから一人になって、自分でさまざまに思考を巡らせながら解決していく、というプロセスを好みます。

解決案を提示したい人と、共感してもらいたいけれど解決は一人でしたい人。

こんな二人が対話をすればまるで噛み合わず、共感型の人は解決案型の人を「上から目線で冷たい」と、逆に解決案型の人は共感型の人にアドバイスを求めても「気持ちばかりで本気で解決する気があるのかわからない」と感じるかもしれません。

互いに相手への思いやりを持っていても、そこには気持ちのすれ違いが生じています。そこで、おすすめしたいのは、「自分がこの対話で何を求めているか」を明確にすることです。

共感してもらいたいならば、「解決策や助言は必要なくて、ただ少し、あなたに話を聞いてもらいたいんだけど、いいかな？」と前置きをする。解決案が欲しいのであれば、「困っているので、具体的なアドバイスが欲しいのだけれど、あなたならこの件、どう思う？」と意見をあおぐ。そうすると余計なすれ違いが生まれず、対話がスムーズに進みます。

ビジネスの場では、合理的かつ、論理的に行いたい対話。そうであっても、話す相手の型をイメージしておくと、不本意に関係を悪化させずに、話し合いを重ねていけるでしょう。

目線を合わせる　子どもとの対話から学んだこと

子どもと話すとき、あなたはどのように話しますか？

小さな子どもと話すとき、人はたいていしゃがんで話します。物理的に子どもの目線に合わせると、普段は見えなかったさまざまなことが見えてきます。試しに、スーパーで中腰になり、周りを眺めてみてください。目に入る高さに、アンパンマンなど、子どもたちの好きなキャラクターがあしらわれたお菓子が陳列されていることに気がつきます。

スーパーに入ったとたん、子どもたちは自分の目線の先にあるキャラクターを見つけて、一目散に駆け寄ります。そして、大人に伝えます。「これ買って」と。一方で、大人の視点からは、まったく違う商品が見えています。スーパーマーケットの売り場は、そのように誰かの目線を想定してデザインされています。

世の中には、さまざまな視点があります。人によって見える世界が違います。違う視点を持つ人たちと深い対話をするためには、どんなスキルが必要でしょうか？

さて、まず、深い対話とはどういうものでしょうか？　深い対話は、相手への「興味」と「尊重」から生まれるものです。

「興味」は、英語で「interest」と言います。「inter」（間）と「esse」（存在する）に由来する語です。「ものごとや存在のなかに入り込んで知ろうとする」という意味から派生し、「好奇心をかき立てる、関心を引く」という意味になりました。つまり「interest」は、単に「面白い」という意味ではなく「なかに入ろうとする」という「能動的な興味」です。

また、「尊重」は英語の「respect」に当たります。リスペクトは日本でも馴染みのある英語で、「尊敬」の意味で使うことが多いですよね。語源は、「re」（再び）と「spect」（見る）です。「振り返って見る」ということです。

この名詞の意味をさらに辞書で調べると、「尊敬」「尊重」のほかに、「考慮」「配慮」「関心」「重視」「事項」「点」「観点」「視点」などと説明されています。こうして見てみると、単に「すごい！　尊敬する。私もあんなふうになりたい！」という、崇拝のような尊敬とは、少しニュアンスが違うように感じますよね。

「崇めるように尊敬する」に該当する英語は「admire」です。「respect」同様、「尊敬」の意味でよく使われる「admire」ですが、こちらは「人の業績や技量が模範に値するほどすばらしいと評価する」という意味です。「respect」は、「その人の意見に〈たとえ同意できないとしても〉、質の良さをすばらしいと認め、敬意を払うこと」という意味です。この「たとえ同意できないとしても」というところに、「respect」のとても大切なことが隠されていると思えませんか？　つまり、同意することは必須ではなく、それでも「その存在を認める」「注目に値する」ということです。

深い会話では、相手にすべて賛同しなくても、いや賛同できないからこそ、聴くに値する「興味」を持てますし、かつ「相手の存在を認めて」対話を重ねていくことに意味があるのです。

相手の目線に立って、相手と共有できる言葉を使いながら、紐解いていく。

深い対話とは、そうした共同作業であるように思えるのです。

子どもと話すときに、しゃがんで話すのは、その人の存在を尊重しているからです。そんなふうにして重ねた対話は、尊重した者、された者、お互いの人生を、とても豊かにしてくれるのではないでしょうか？

結果を期待しすぎない技術

作品を窯から取り出すときに願うこと

焼き物は窯で焼成して完成させます。焼き物の土は、約５７３度で珪石が変化し、そこからはもう二度と泥に戻りません。ですから焼き物の作品は、基本的に焼成工程を省くことができません。

陶芸家は、「焼成」の工程をとても大切にしています。

第２章で触れた土や道具のもりは、手をかけた分だけ、その結果の予測ができるものです。しかし、窯で火を使う。その結果は、コントロールできないものです。そうした火の性質をよく知る私たち陶芸家は、窯で焼成することを「窯に預ける」と表現することがあります。

焼成は窯の種類によっても違います。薪で焼く昔ながらの登窯もありますが、現代では煙の害をおさえるために、電気やガスを用いるのが主流です。薪の火に比べると、電気やガスの火は安定します。とはいえ、それでもいちど窯に入れてしまうと、窯から出すまで、待つしかありません。

「窯に預ける」というのは、火の力を「借りる」ことでもあります。

焼成は、誰の手によっても調整できないという性格上、窯出ししたときにミスしていたとしても、誰のせいにすることもできません。

私にできることは、すべてやった。
ただ「うまく焼けますように」と願うこと。

信じて待つという行為は、一種の祈りです。
焼成後のできあがりに期待する。その期待の仕方は、いままで制作してきた過程を信じ、あとは預けて待つ。それだけなのです。

ここまで、人とどのように対話をしていくか、という話をしてきました。

他者との対話もまた、窯の火と同様に、私たちが完全にコントロールできるものではありません。作陶のように、最上のものをつくろうとする過程を経てなお、最後には自分の力ではどうにもできない工程が待っています。

人と人のコミュニケーションで、相手を自分の意のままに管理し、動かすことなどできません。しかし、それでも、細部にまで想いを込めて、ベストを尽くして対話をする。そうすれば、その後、相手がどう受けとめるかを期待しすぎず、手放し、「預ける」ことができるのではないでしょうか？

窯で焼成することは、いつも私に、そんなことを教えてくれます。

第5章

「私らしい言葉」で自分を認め、世界に心を開く

視点を切り替える

笑うも悲しむも、私が決める

日常で起きる些細なことに縛られ、その感情が頭を占拠してしまい、思考が自由な状態に戻れないときってありますよね。人に傷付く言葉を言われたとか、電車が遅延して大切な打ち合わせに間に合わず迷惑をかけたとか、傘を忘れてずぶ濡れになって惨めだったとか。

どんな日も、いいこともあれば、悪いこともあります。そもそも社会で生きるということは、自分がコントロールできないことばかりのなかで生きていくことを意味しています。自分の気持ちや行動を変えることができても、人の行動をコントロールすることはできません。生きるとは、それでも人と関わり続けるということであり、トラブルは付きものです。

失敗したり、嫌な思いをしたりしたとき、どのように視点を切り替えるか。「自分の視点を切り替えられる言葉」をいくつか用意しておくことです。

たとえば、「はいはい、今日も絶好調ですね～」というフレーズ。これには、第三者目線になって、嫌なことを「笑い」に変える力があります。

「なんでやねん！」とすべての失敗にツッコミを入れてみる。目の前で閉まった電車のドアに、「なんでやねん！」。すると、なんだか許せる気持ちになりませんか？

身に起きたできごとを「面白いこと」にするか、「つらいこと」にするか。それって、できごとに、どんな言葉を与えるかと関係してはいませんか？

私がいつも持っている標語に、「人生コスプレ」というものがあります。これは、私がコスプレをすることが趣味というわけではありません（笑）。そうではなく、「コスプレイヤーのように何かに成りきって生きるのが人生だ」というような意味です。

人はいつも、何らかの職業や立場があり、その役割を演じて生きているのだから、今日もそのとおり演じきってやる！　そんな感じです。「人生コスプレ」は私にとって、「主体的に『いま／ここ』の立場を楽しむ」ための力強い言葉です。

花に近寄ってマクロレンズで撮影する写真と、花の群生を遠くから撮影する写真とでは、まったく印象が違うように、目線を変えると、世界をさまざまに切り取ることができます。

喜劇王とうたわれたチャップリンは、つらい幼少時代の経験を糧にして、喜劇に悲劇を巧みに組み込んでいます。彼の映画は、観る角度によって、さまざまなことを伝えてくれます。

私たちに日々起きることも、どの角度や距離で観るかによって、悲劇にも喜劇にもなり得る。

何か小さなことに頭を占拠されてしまったときは、ぐぐーっと空に飛び上がれ！　そして世界の傍観者になり、世界を見つめてみる。私たちだって思いがけず、喜劇俳優としていまを演じることができるようになりますよ。

第5章では、「自分らしい言葉」を味方につけるとしあわせになれる。そして、周りを、世界をもしあわせにできる。そんな話をしていきます。

あの人を思い出す

闇堕ちしないために

ネガティブな感情が頭を占領してしまうとき、私には思い出す人がいます。

それは素の自分で居させてくれる人です。

その人の前では、なぜかいいかっこをせず、素の自分でいることができる。そういう人が、あなたにもいるでしょうか？　いま、胸に手を当てて、その人を少し思い出してみてください。

私の叔母は、私が10代のときに亡くなりました。自分にも他人にも厳しい人でしたが、ものごとを俯瞰して見ることができる、「公平」という言葉が似合う人でした。言葉は少ないけれど、いつも背筋が伸びていて、背中で物語るような人でした。大切なときには、いつも短い言葉で必要なことを言ってくれました。

私は困難があったとき、よく叔母を思い出します。

実際にはその誰かに相談できないとしても、「こういうとき、あの人だったらなんて言うだろう？」と想像する。それだけで、ずいぶんと励まされる気がします。

リアルに対面していなくても、そして、たとえすでに死別し、二度と会えない人であったとしても、心の支えになってくれることがあります。
このように人間関係とは、時間や空間を超え得るものかもしれません。

あの人だったら、どう慰めてくれるだろう。
あの人だったら、どんなふうに叱ってくれるだろう。
あの人だったら、どのように解決するだろう。

人生で起こるさまざまな問題を、その人の存在を介して見つめてみること。
いま目の前にいなくても、その存在はすっと顕在化します。人生にそんな人が一人でもいれば、心強いことではないでしょうか。

目を瞑ると、誰を想像しますか?
思い出してみてください。

身の回りの5人は私の鏡

あなたの周りに、真似してみたい話し方をする人はいますか？　少し考えてみてください。あなたが言葉の使い方の理想や目標にするような人は周りにいるでしょうか？

ロジカルに話をする人。
エモーショナルに話をする人。
丁寧な言葉を使う人。
気さくな言葉を使う人。

言葉の使い方、思考の言語化の仕方は、周囲に伝染します。

「あなたは一緒に過ごす時間がもっとも長い5人の平均になる」という言葉をご存じでしょうか？　アメリカの起業家であり、数々の一流企業のコンサルタントである、ジム・ローン氏の言葉です。

言葉の使い方だけではありません。しぐさや時間感覚、考え方、年収なども、自分にとって近い関係の5人の平均になるということを言っています。置き換えるとドキッとする言葉ですよね。

ＬＩＮＥを開いたとき、最初に表示される５人は誰でしょうか。

この１年でいちばん会った５人は誰ですか？

私は「自由に生きること」を、人生で大切にしています。自由というのは、思考だけでなく、場所や時間の自由も示しています。私の周りの５人には、海外など場所にとらわれずに子育てをしている人、老舗に生まれ「継ぐ」ということを真剣に考えながら変化しようとしている人、小さなしあわせを発見できる心優しい人、人の気持ちの機微がわかる人、さっとチケットを取って次の日から海外に行ってしまうほどフットワークの軽い人がいます。

それらのどの要素を取っても、自分もまた持ち合わせているものだと改めて思います。

自分がわからなくなったときは、周りを見回してみてください。

あなたはどんな人たちに囲まれているでしょうか？

日本には「類は友をよぶ」ということわざがあります。これも同じことを示唆していますね。人間は成長とともに変化していくものなので、所属しているコミュニティや友人も自分の成長に合わせて変化したり、リセットされたりしていくことは当たり前です。

いま、どんな人と一緒に過ごしていますか？

そして、いま、どんな人に憧れていますか？

身近に、自分よりもずっと年上の、ベンチマークにしている人はいますか？

いまはまだ少し遠い存在の憧れの人がいるならば、その人を「よく会う5人」にするために、いまの自分には何ができるでしょうか？　自分を成長させるためにも、ぜひ考えてみてください。

自分にかける言葉

自分へのギフト

自分に投げかける心の言葉をインナートークといいます。あなたは毎日、自分にどんな言葉を投げかけていますか？　人や自分を傷付けてしまうのも言葉であれば、周りの世界を前向きに捉えさせてくれるのもまた、言葉です。

何か失敗したとき、失敗の大きさにもよりますが、落ち込んでしまうことがあります。「あーあ、やってしまった」と。

大切なのは、その次に続く言葉です。「私はダメな人間だ」「こんな私は何をやってもうまくいくはずがない」などと、自分を卑下し、可能性に制限をかけてしまうような言葉を、無意識に続けてしまっていませんか？　真面目な人ほど、人に優しく、自分にはとことん厳しいということはよくあります。

幼い子が、道にアイスクリームを落とすという小さな失敗をしました。あなたはどんなふうに声をかけるでしょう？　「あーあ、やってしまったね。でも、みんなやってしまうこともあるよ。斜めに持っていたから、落ちてしまったんだね。次からはよく注意しようね」などと、声をかけませんか？

もし毎日、厳しい言葉を幼い子に伝え続けたりしたらどうなるでしょうか？　子どもはきっと、適切な自信を持つことができなくなります。

小さな子どもに伝えるように、自分への言葉も丁寧に優しく伝えてみてください。また、つい自分に厳しくなってしまう人は、気持ちを声に出してみてはいかがでしょう。

心のなかだけで言葉を唱えていると、どこまでもつらく厳しい声を自分に浴びせてしまいがちです。誰も聞いていないから。そこで、あえて声に出してみると、自分がどんなに辛らつな言葉を使っているか、自覚できるようになるでしょう。音で聞くことで客観的になり、自分が発している言葉に縮み上がってしまうかもしれません。

自分へのだめ出しは、頭のなかのような閉じた場所ではなく、言葉に出して明るい場所で。

自分への言葉がけをギフトと思って、少しずつポジティブで建設的な言葉に直していきましょう。インナートークの質を上げていくと、自分のなかの傷付いていた箇所が、徐々に癒え、前向きになっていくはずです。

可能性を封じない①　「どうせ」「しょせん」

自分を傷付ける言葉でなくても、前向きに生きる力を奪ってしまう言葉はあります。それは、「どうせ」や「しょせん」など、限界をイメージさせる言葉です。

「どうせ」という言葉が文頭にあると、そのあとは決まって「〜ない」というネガティブな否定形の文章になります。意識していなくても、「どうせ」を口ぐせにしていると、自分の心に否定形がインプットされてしまいます。先ほどお伝えしたように、自分が脳内でつぶやく独り言は、自分へのギフトです。

自分の限界をイメージさせる言葉を使うことは、あたかも、自分の限界を見える化するような行為です。自分の限界を宣言してしまっているのと同じです。

「どうせ」や「しょせん」といった限界を示唆する言葉を使ってしまうのは、あなたがきっと、いままでたくさん経験をしてきたからです。経験則から、いまの成長曲線上に思い描ける未来はない、と思ってしまうのです。

人の成長曲線はずっと右肩上がりに上がっていくわけではありません。成長には必ず停滞の時期があります。人は新しいことをはじめると、最初はぐんぐんと上達します。できなかったことができるようになるのは、自分の成長の変化を実感できて、とても楽しいことです。

しかし、やがて成長曲線が水平を描くようになり、まったく成長していないかのように見えるときがやって来ます。この時期のことを「プラトー」と言います。英会話の勉強、筋トレ、私の仕事のように技術を使う仕事、どんなことにでも当てはまります。こうした時期に、学びや習得の新鮮味が失われ、人は自信をなくしたり、やる気を失ったりしてしまいます。つい、限界をイメージする言葉を使いたくもなります。

このプラトーはどんな天才でも、必ず経験することです。こうした時期に、いかに心を前向きに保ち、あきらめずに少しずつでも地道に練習を継続するか。それがとても重要です。プラトーのあとには、また大幅な成長をする機会が訪れます。しかし、プラトーでやめてしまうと、もう次の成長を見ることはできません。

「達人はプラトーを愛する」という言葉があります。

こう言い換えられるかもしれません。

プラトーを愛した人しか達人にはなれない。

いまは停滞するのが当たり前で、自己を充実させる時期だ、たゆまぬ鍛錬にしか先はない、と現在の地点に集中すること。「どうせ」「しょせん」と言いたくなったら、ピンチをチャンスに変えるヒーローになった気分で「よし来た、本領発揮！」と、代わりに言ってみましょう。

自分のプラトーを愛すること。
そして自分の人生を劇場化し、そのスターになること。

いまに集中することで、新しい景色を見ることができます。

「よしきた、本領発揮！」
「ここからが勝負です」
「さてさて、やってまいりました」

自分に唱えられる、自分を鼓舞するための言葉を代わりに使ってみてください。

可能性を封じない② 「もうこんな歳だし」

私は、限界を感じさせる言葉と同じように、年齢を理由に自分を否定する言葉も使わないようにしています。

「もうおばちゃんだから」
「こんな歳だから」

こうした言葉をいちど使ってしまうと、その日から一生使い続けることになってしまいそうな気がするからです。時間は不可逆。こうしたフレーズを使ったその瞬間より、自分が物理的に若返ることは絶対にないからです。

日本語で「中年の危機」と言われるミッドライフ・クライシスは、こうした表現を使いたくなる時期からはじまります。40代前後、自分の人生を振り返る時期です。「自分の人生はこれでよかったのか」などと深く考えて、危機感を覚えます。

確かにこの年頃になると、「これまでの方法」を変容させないといけないかもしれません。私も、30代前半までは、深夜までがむしゃらに働いていました。が、その働き方を今後もずっと続けていくことはできません。時間の使い方、自分という人間の価値をどこに置くか、ものごとの優先順位なども変わっていきます。

小さな頃、夢は無限大です。宇宙飛行士にもなれるし、アイドルにも、そしてどこかの国のお姫様にもなることができます。

しかし、歳を重ねるごとに、未来の選択肢はだんだんと限定されていきます。もちろん何かをはじめるのに遅い年齢など決してありません。しかし、幼少期と同じように成長していくことは難しいし、先の時間にも限りがあるというのが現実です。

私の好きな映画の一つに『めぐりあう時間たち(The Hours)』という作品があります。時代や国籍の違う3人の中年女性の1日を描いています。ニコール・キッドマン、ジュリアン・ムーア、メリル・ストリープという世界的な名優が、主役の3人を演じた名作です。

3人はそれぞれ、周りからはしあわせそうに見えます。しかし、当の本人たちはそう思っていません。まさに「中年の危機」の渦中にいます。3人の1日が、最後に意外な形で、絡み合っていきます。人と人の人生が、時代を超えて影響を与え合っていく。そのストーリー展開は圧巻です。

終盤、メリル・ストリープ演じる女性が、自分の子に「しあわせ」について語るシーンがあります。

Remember one morning getting up at dawn, there was such a sense of possibility. You know, that feeling? And I remember thinking to myself : So, this is the beginning of happiness. This is where it starts. And of course there will always be more. It never occurred to me it wasn't the beginning. It was happiness. It was the moment. Right then.

（朝に起きたときに、ああ、私は何にでもなれる。そう思った。それは、しあわせのはじまりだと思っていたの。だけどそれこそが、しあわせそのものだった）

真の豊かさやしあわせとは何でしょうか？
20代で感じる豊かさと、30代、40代、そして50代、またその先の人生で感じる豊かさ、しあわせの意味は違います。

自分のものさしでの「豊かさ」を知ること。
あきらめるわけではなく、自分の可能性を信じること。

それを知るために、私たちは自分の言葉を持とうとしているのです。
ピーター・ドラッカーは言いました。

「コップに『半分入っている』と『半分空である』とは、量的には同じである。だが、意味はまったく違う。取るべき行動も違う。世の中の認識が『半分入っている』から『半分空である』に変わるとき、イノベーションの機会が生まれる」

ものごとには終わりがあることを知ったとき、人生の谷を味わったとき、そしてプラトーのとき、そうしたときこそが、じつは人生の山場なのかもしれません。山場が訪れたら、そのときは？「よしきた、本領発揮！」と、人生を面白がり、自分自身に声をかけてあげてください。

そのネガティブ感情、「認知の歪み」かも？

あるプロジェクトが成功したのに、「偶然うまくいっただけで実力ではない」と、低く見積もった自己評価をしたり、話しかけた知人がたまたま忙しく対応が素気なかっただけなのに「自分は嫌われている」と思い込んでしまうようなことがあります。思い込みでこういう考えをしてしまうことを「認知の歪み」といいます。

誰にでも心当たりがあるのではないでしょうか？

「認知の歪み」は大きく分けて、10種類のパターンがあるそうです。

たとえば、すべてのものごとを白黒はっきりさせなければ気が済まないこと、根拠のない決め付けで独りよがりの結論を導き出すこと、過剰な拡大解釈／縮小解釈などが挙げられます。

ネガティブにならない人がいないように、認知の歪みがまったくない人はいません。なぜなら、ものごとを把握するその仕方は、経験則に基づいていることが多いからです。しかし、歪んだ思考パターンに陥ると、必ず自分が苦しくなります。生きづらさを感じるようになってしまいます。

この認知の歪み、9割は勘違いだと思えば少しは楽になるのではないでしょうか？　負のサイクルに陥りそうになったとき、これは歪んだ解釈のせいかもと理解して、事象を「正しく見る」ことを意識してみましょう。「正しく見る」とは、「事実と感情を切り分ける」ことです。

負の感情にとらわれていると感じたら、紙に、自分に起きたできごとを綴ってみます。その後「事実」の部分だけにマーカーで線を引いてみましょう。

どうですか？　感情をよけて、事実のみを抽出していくと、少し冷静になれるのではないでしょうか？

ネガティブに感じていることは、そのほとんどが思い込みや被害妄想であり、思い込みは自分でつくったものである、ということに気づくのではないでしょうか。

インポスター症候群という言葉をご存じでしょうか？　自分の力で何かを達成し、周囲から高く評価されても、自分にはそのような能力はない、評価されるに値しないと自分を過小評価してしまうことを指します。

このような考え方をしてしまうのは、とりわけ女性に多いそうです。私はこの言葉を、２０１３年に発刊された、シェリル・サンドバーグ氏の著書『LEAN IN（リーン・イン）女性、仕事、リーダーへの意欲』で、知りました。フェイスブック（現メタ）のＣＯＯだったシェリルは、この本のなかで、かつてインポスター症候群に苦しんでいた過去を告白していました。世界で最も有力な女性50人に選ばれるような彼女でさえも、そんな過去があったということに、私は心底驚いたのでした。

人間にはこうした性質があるということを理解していれば、負の感情にとらわれたとき、正当な自己評価へと認知を正していく力になります。自分の歩みを正しく見て、過去の結果や功績を素直に認められるといいですね。

本物のポジティブシンキング

前向きな人と付き合っていると、話がどんどんと前に進み、心地よいものです。前向きな人は、「たしかにそうですね。いいアイデアですね」など、相手の肯定から会話に入ることも大きな特徴です。そうした人は、意見が違う場合でも、ただ否定するのではなく、良い代案を持ってきてくれます。

また、過去の経験を良いアウトプットに転換する力を持つのも、前向きな人の特徴です。しかし、前向きな人とひと言で言っても、その人がいままでものごとにどう向き合ってきたかによって、「本当の前向きさ」と「嘘の前向きさ」があるように感じます。それぞれは、どのように違うのでしょうか。

生まれてこのかた、人はそれぞれの人生で葛藤し、痛みを感じ、時には危機に直面します。そのたびに、自分を守ろうとする心の防衛本能が働きます。防衛本能とは、目の前の困難から自分を守り、困難に打ち勝っていくための心の機能を指します。

心の防衛機能は、大きく分けて、①退行、②抑圧、③反動形成、④分裂、⑤打ち消し、

⑥投影、⑦取り入れ、⑧自己への向き換え（自虐）、⑨逆転、⑩昇華の10種類があります。

たとえば、②の「抑圧」。思い出したくないつらい記憶を、心の奥深く、無意識のなかにとどめようとする。または、つらい経験をトラウマがあるにもかかわらず、なかったことにしようとする。そんな経験が皆さんにもありませんか？

戦争や暴力など、自分が置かれたあまりに過酷な状況に、行動と感情が切り離される。そうした防衛のことは、「分裂」（④）と言います。ひどい状況下で、自分の命が奪われることへの恐れや、あるいは人の命を奪うことへの罪悪感を感じなくなってしまうような状態です。たとえ戦争であっても、誰かの命を奪ったり、自分を顧みず勇敢に命を落としたりするようなことは、普通の精神状態であればできませんよね。自分の心を守るために、当たり前の感情を感じないようにしてしまうのです。

そして、たとえ、このような極限の状況でなくても、人はいつも心を守っています。

たとえば、小学校時代、気になる子をいじめる子がいましたよね。逆に、嫌いな人に対して、過剰に丁寧に接してしまう人もいます。じつはこうした行動も防衛の一つです。

このように無意識に心を守る機能が発動したとき、いま自分の心が危機を感じているとわかります。防衛は決して悪いものではありません。心を守る大切な機能です。

それにしても、私たちには、何かから自分を守る機能がこんなにも備わっているということに驚きませんか？　このことは端的に、人の心が本来どれだけピュアで弱いものであるかを表しているように思うのです。

10の防衛機能のなかには、ほぼ唯一、前向きな防衛があります。それが、「昇華」⑩です。

「昇華」とは、自分の困難な経験を「意義のあるもの」に転換することです。社会への不満や、誰かへの憎しみを小説や詩、アートとして表現することもこの行為です。そしてこうした行為は、小説家やアーティストだけに開かれているわけではありません。前に挙げたように、心のモヤモヤを言語化すること、出さない手紙を書くことも、じゅうぶんに「昇華」の一つです。また、自分で乗り越えた困難を糧に、誰かを元気付ける言葉にすることも、「昇華」の一つです。

困難に向かい合い、それを何かの形に昇華させること。

昇華を人生で重ねていくと、その歩みは必ず強い土台をつくっていきます。


しかし、昇華とは逆に、身に起きた経験をなかったことにし、向き合わずにきた結果の「嘘の前向きさ」がつくるのは、虚像の土台です。自信のないスカスカの土台が積み上がっていきます。そして、こうしたことは、自分自身にはよくわかっているものです。だから隠すために、さらにハリボテの壁と高いスカスカの土台を積み上げてしまいます。


「本当の前向きさ」とは、経験と向かい合う力である。

そのように、私は思います。


小さなことからでよいのです。失敗したときや、嫌な経験をしたときには、それを認め、しっかりと向き合ってみましょう。本物の「自分の言葉」はそこからしか得られません。

そして、どうしても向き合えない、無理だと感じたら、一時的に逃げてもいいのです。

言葉にできるタイミングは、時間差で訪れる場合もあります。後日、学びとなって現れてくることもあるのです。

正しく言葉を紡ぎ、正しく苦しみを手放す

経験に向き合い正しく言語化することで、どんな良いことがあるのでしょうか？　言葉にできると、もう悩まなくなります。

先ほど「心の防衛機能」のうち、唯一のポジティブな防衛として「昇華」という機能の話をしました。

私は陶芸という仕事を通して、私の作品を見た方や、購入した方にとって、何か新しい「気づき」のきっかけになれたらと願いながら制作を続けています。器を見て純粋に「美しい、使ってみたい」と思っていただけたのなら、それは、その方の新しい感情や感性を引き出せた瞬間です。私にとってはそれが仕事の本質であり、本望です。

ネガティブなことを「しんどい」という粗い感情で理解して、そのまま抑圧してしまうなら、そのネガティブな経験はどこまでいっても、とてもつらい経験のままということになります。しかし、ネガティブなできごとを「お、これは新しい経験だ」と捉えたり、「今後の活動に活用できるかも」とマインドを切り替えて、より高い解像度で理解しよう

としたりできるなら、そのできごとは、一瞬にしてポジティブなものに変わる可能性があると思うのです。一つのパラダイムシフトです。

私たちクリエイターは、そのことを日々の仕事で実践していますが、制作以外の仕事をされている人であっても、丁寧な言語化によって、こうした転換をしていくことは有効なのではないでしょうか？

もし、自分のなかに体験したことのない感情を発見したのなら、その新しい感情に出会えたことを心から喜んでみてください。その感情に丁寧に言葉を染み込ませていくようにして、味わいつくしてみてください。

自己受容のお作法　根っこの問題と向き合う

情けない自分や、勝手な自分、もう嫌になってしまうような自分。認めたくない自分も自分の好きなところと一緒に、まるごと受け入れて認める。それを自己受容といいます。

すべての人に有効なトラウマ解消方法はないのかもしれません。それでも、感情を認識し、自覚すること。そしてそれを言語化し、自分でさえも知らなかった新しい自分を興味深く捉えること。それが自己受容の最初の一歩です。

私は、自己受容できたかどうかの評価の初期の目安は、「人に話せるようになる」ことだと思っています。悩みの渦中にいるとき、その悩みを消化しきれていないとき、人はそれを、なかなか話せないものです。トラウマを、自分の言葉で他者に開示できたとき、体験を自分の心の経験値にしはじめることができたのだと感じます。

自己受容とは、いたずらにポジティブになることではありません。ポジティブなときも、ネガティブなときも、自分がそのように「在る」のを認めることです。そのために、感情と向き合い、言葉を用いて、人とつながっていくのです。

経験を分け合い、讃え合い、励まし合う

ＳＮＳには、日々、キラキラした成功ストーリーが流れてきます。成功や嬉しいことは、誰だって世界に向かって大声で報告したくなるものです。一方で、失恋、倒産、離婚、借

金といった失敗談はなかなか人に言いづらいものです。とはいえ、よく考えてみると、世間には、人が羨むような大きな成功よりも、小さな失敗のほうが多く転がっているのではないでしょうか。

失敗のエピソードがなかなか世に発信されないのは、それを気軽に語れる社会ではないからかもしれません。顔や名前を出して自身の失敗談を伝えることができる人は、本当に稀です。作家やお笑い芸人には、そうした失敗を面白く伝える才能を持った人がいますが、それにはできごとを深掘りして考え、そのうえで言葉を磨くという鍛錬が必要です。喜劇や教訓として伝えられるようになるには、しばらく時間が必要なものです。だから、私たちは、そうして語られる失敗談に心を動かされ、共感するのです。

そもそも失敗とは何でしょうか？　私は、失敗なんてものはないと考えています。なぜなら失敗はどこかに至るまでの一つの過程でしかないからです。

ところが、ひとたび失敗を「恥」だと考えてしまうと、次にチャレンジするのが怖くなります。「恥」という感情は常に自分のほうを向いているので、自己否定につながるのは自然な流れです。

自己否定をし続けていては、人は生きていけなくなります。だから、失敗した言い訳を考え続けます。自分は悪くない、タイミングのせいだ、社会のせいだ。誰かのせいだ、というように。そうしていくうちに、さらに失敗が怖くなっていく、という悪循環に陥ってしまいます。

失敗を恐れることのいちばんの弊害は「リスクを取らなくなること」です。リスクを取らなくなると、成功が高確立で約束されていることにしかチャレンジしなくなってしまいます。それでは、未来の可能性を狭めてしまいます。

カリフォルニアのシリコンバレーでスタートアップの事業を立ち上げている井口尊仁《たかひと》さんは、シリコンバレーの風土を「チャレンジすることを讃えて祝える場所」と言いました。シリコンバレーといえば、グーグル、マイクロソフト、メタ、アップル、ヤフーなど、世界的なＩＴ企業が並ぶ街。ビジネスの輝かしい成功の裏には、その１００倍以上の失敗がある。それを街全体で知っているからこそ、チャレンジすることの恐怖を乗り越える素晴らしさを讃え合えるのでしょう。

私は、新しい道に進むと決めた友人に、必ず「おめでとう」と伝えます。

転職、結婚だけでなく、離婚も倒産も引越しも、すべてのはじまりは、その前のできごとの終わりからつながっています。チャレンジを讃え合える人、失敗を祝福できる人がいる場所に身を置いてください。

人の間に生きていく

人は一人では生きていけません。

あなたがもし、自分に厳しい完璧主義者なら、あなたのチャレンジを讃え、失敗も一緒に祝福してくれる友人を持ってください。

人生の大きな波や変化のなかでは、付き合う人も変わっていきます。そのなかに、いつも変わらず、あなたに思いやりある言葉をかけてくれる人はいるでしょうか。

オンラインゲームや、VRの普及により、リアルに会わなくても友情が育めるようになりました。実際には会ったことがないし、顔も名前も知らない。ハンドルネームとアバターを使うからこそ、心のフィルターが解かれて、話しやすいということもあるのかもしれません。

友人とひと言で言えど、相手によっていろんな付き合い方があればいいので、オンライン上の友達を持つのも、いいことだと思います。一方で、容姿、声、その他の姿形や、コンプレックスも含めて、ありのままの等身大で付き合える友人は大切です。かっこつけなくても、ダメなときでも、付き合ってくれる人、それを笑い飛ばしてくれる人です。

人は母親のお腹からこの世界に出てきます。へその緒が切られ、そこで初めて独立した存在になります。へその緒でつながり、栄養が運ばれ、一定の温度で守られた環境から、一気にこの世界へ産み落とされます。

そう考えると、「安心感」の原体験とは誰かに守られている状態や、帰属意識かもしれません。その後、一人の人間のアイデンティティを確立していくまでの間、人は、国、家族、学校などの団体に所属し、そのなかの一員として、ゆっくりと自己を確立させていきます。そのうちに、焼肉店にも、映画館にも、海外旅行にも、手術台にも、一人で行けるようになっていきます。しかし、そうして独立した存在になったときにも、やはり人は、人を求めます。

あなたには安心して、報告し合えるオアシスのような場所はありますか？

再び外へ向かって駆け出していくための英気を養えるような場所はあるでしょうか？

大人になって必要な場所とは、そういう場所です。いつもパーティーに出かける必要などないのです。共通のお稽古ごとや趣味を持つ人とは、同じことを追究するいい友人になりやすいでしょう。同じ目標を持っているけれど、仕事や環境が違うというのもいいことですね。同じ想いや情熱を持っている人と出会うためにも、ぜひ言葉で発信してみてください。私は、ここにいる、と。

ラッキーボックス　年末の自分を労う言葉

過去の自分の言葉で自分を祝福する方法をお伝えします。

ささやかな喜びを数えるための「ラッキーボックス」をつくるのです。用意するものは、箱と小さなメモ用紙だけ。

箱は、どんなものでも良いですが、部屋に飾っているだけで嬉しくなるようなものがいいですね。

次に、紙箱であれば箱の上面に切れ込みを入れます。投票箱のように、そこからメモ用紙を入れることができるようにします。箱がすぐには開かないよう、切れ込み以外のところはしっかりと封をします。これで「ラッキーボックス」は完成です。


使い方は簡単です。今日、嬉しかったことを紙片に書き、裏には日付を記入し、「ラッキーボックス」に入れていきます。それだけ。

毎日書くことが難しいならば、数日に1枚でも構いません。毎日メモを入れていけば、一年で365枚、三日に1枚でも100枚以上の「喜び」が、箱に溜まります。無理なく続けていきましょう。

年末(あるいは何かしらの一年の区切り)に、ラッキーボックスを開封します。そこには、一年で積み上げた小さな幸運と喜びが詰まっています。家族と一緒に、もしくは独りで温かいコーヒーやホットウイスキーでも飲みながら、その1枚1枚を思い出しながら読んでいくのも、豊かでしあわせな時間ですね。


私は「ラッキー」という言葉がとても好きです。ラッキーって、ものの見方次第で、すぐにでもなることができる、懐が深い言葉だからです。そして、ものの見方をラッキーに変えていくと、またさらにラッキーなことが舞い込んでくるように思います。

人生には、「今年は最悪だった。嫌なことしかなかった」と思うような、不運で大変な一年もあるでしょう。しかし、本当にそうでしょうか。毎時間、毎日、不運で嫌なことしか起きなかった年など絶対にありません。

ぎりぎり電車に間に合った、仕事帰りに寄ったコンビニで美味しいポテトチップスを発見した、お客さんにメイクを褒められた、ネットフリックスではまっているドラマが友人と一緒だった……。ささやかな喜びや、気づきを毎日、発見してきたはずです。

そして、きっと思っているより遥かにたくさんのアクションを、一年の間に実行してきたはずです。「きっと、これからもラッキーだ」というマインドセットを持つこと。明るい未来に向かって、自分が持った豊かな時間は、お守りのような存在になっていくでしょう。

1枚1枚、自分に起こったことをきちんと確認し、忘れていた幸福を思い出せる時間、それは、過去からの自分への手紙です。

こうして三次元に生きている私たちは、過去から未来から、じつはたくさんのラブレターを受け取りながら、いまを生きているのではないでしょうか？
残念だったことも、悲しい体験も、その痛みを味わえた自分がいる。
痛みを味わえるだけの力があった自分がいた。
それは、とてもラッキーなことだった。

そう言ってもよいのではないでしょうか。

すべてのことに意味がある

経験したことに対して、なんらかの答えを出すこと。
答えを出す、つまり言語化することは、その体験を受け入れ、自分の背中を未来へ押してくれます。

しかし、体験とそれを理解することには、ときに時差があります。思春期に親からもらった言葉を、30代になってから理解し、感謝することができる。そういうことがあります。何年も前の種が発芽することがあるように、言葉の種も時間をかけて理解が芽吹くということがあるのです。

私は、佐賀での修業を20代半ばで終え、京都に戻りました。そこから独立して陶芸家の道を歩みはじめました。そのときの、父からの初めてのアドバイスは「売れるものをつくれ」という言葉でした。

「自分のものづくり」をして売るという経験をしたことがなかった私には、とても重く難しいアドバイスでした。その当時は「売れるもの」とは何なのか、まったくわかっていなかったからです。父がくれた、この本質的な問いが、いまでも私の心には深く根付いています。すぐに受け入れて実行できたわけではありません。それでも、この言葉の真意に向き合おうとしました。「芸術の追求のためのものづくり」と、「職業として続けていくものづくり」のバランスを取りながら進んでいく第一歩が刻まれた瞬間でした。

人は問題に直面したとき、早くすっきりしたいと思います。「これはこういうことだったのだ！」とすぐに答えを出したり、こじつけでなるべく早く片付けたりしがちです。困難を過去にしようと思ってしまいます。そうしなくては、新しく前進しようとするスピードが鈍ってしまうからかもしれません。

「風が吹けば桶屋が儲かる」ということわざがあります。ある事象の発生で、一見まったく関係がない、距離的にも概念的にも、とても遠いはずの何かに影響が出ることを指します。その因果関係とは、このように言われています。

風が吹けば砂が舞い上がり、砂が目に入り、目が悪くなる人が増える。そのため三味線弾きで生計を立てる人が増え、三味線が売れる。三味線には猫の皮が必要だから猫が捕られ、それによってネズミが増える。ネズミに桶がかじられる……。したがって、風が吹けば桶屋が儲かる。

これは実話ではありませんが、あるできごとが、ものすごい遠回りをしながら、いろんなできごとと影響を与えあっています。このような現象を指す英語に「バタフライエフェクト」という言葉があります。最初のわずかな差が、将来的に大きな差を生むということを指しています。小さく意思決定することが、どのような波紋を呼び、どのような結果や未来が訪れるか。それは、誰にもわからない。ほんの些細なことも、ときには歴史を大きく動かすことがあるかもしれない。そういう意味です。バタフライエフェクトは、気象学者が発表した言葉だそうですが、気象という自然の法則に基づいたこの概念は、さまざまなところで実感できるのではないでしょうか。

安直な答えを出さずに、いったん蓋をしておく。

じたばたせずに、経験や体験を、やがて言葉になるまで、胸のなかで熟成させておく。

そんな期間も、長い人生では大切だと思うのです。

あなたが経験しただけ、自分の言葉が磨かれます。それでもなお、言語化できない感情が自分のなかにある。そう気がつくときがあるでしょう。経験を積み、一段階思索の深まった自分が、さらにまた自分の言葉で表現しようと格闘していく。終わりなき挑戦。

自分のなかにどんな感情があったとしても、いつか生きる「肥やし」にする。

そのために、経験を重ね、自分の言葉を持つ。

まだ消化できない体験にも、いつの日か意義を見出す。

そんな気持ちを持つ。

そのあくなき探求こそが、「覚悟」といえるのではないでしょうか。
あなたの言葉を、世界に一つひとつ、旅立たせてあげてください。
新しい未来を仰ぐように見つめながら。

おわりに　言葉を手放す、ということ

言葉を手放す、ということ

ここまで、つらつらと、「私らしい言葉」をどう得ていくかについて、話をしてきました。

細やかな言葉の表現と、丁寧に相手に伝える言葉。

それは、自分の心を整理し、自分の人生の物語を描き、人を勇気付ける力にもなる、とても大切で、合理的な表現方法です。

でも、やはり最後にこう思うのです。

言葉を手放したい、と。

言葉には、一つの宿命があります。

それは、言葉が「ものごとを限定的に定義しようとする性質を持つ」こと。

限定（フォーカス）したせいで、ものごとの本質的な理解から遠ざかってしまうということが起きるのです。


たとえば、「友達」という言葉がそうです。

「友達」という言葉は、「知り合い」から「よく会う人」になり、いつか「友達」になっていくという過程を含んでいます。いつからが「知り合い」で、いつからが「友達」か、そこに明確な線引きはありません。ふわーっとなんとなく、いつの間にか仲の良い人になっていく。しかし、「友達」という言葉で定義づけることによって、「知り合い」と「友達」の間にあったグレーゾーンをはっきりしたものに規定してしまう。

言葉で定義づける、つまり規定するという行為には、その定義から、こぼれ落ちるさまざまな美しい関係、感情を見えにくくする。そんな落とし穴があるのです。

繊細な感性を育てていきながら、たくさんの本を読み、語彙を育て、良いことも悪いこともたくさん経験し、心のメモリが言葉を細かく刻みこんで、多様な言葉の表現を持ったとしても、やはり何か足りない。

指の間からさらさらと抜け落ちてしまう、掬い取れない何かに、つい目がいくようになります。どれだけ細かな砂粒で、あなたのその心を表現したとしても、言葉とは曖昧なもので、やはり受け取る相手の主観に依存するしかありません。

「私らしい言葉」を持つことは、まず自分を知ることです。

自分の心地よい状態を知ること。自分の感情を味わうこと。たくさん体験すること。それを言葉にすること。腹落ちさせること。

そして、人に伝えること。そうしていくうちに、自分自身の体験から生まれた言葉が、力を持ち、一人で歩んでいきます。

歴史上の格言や言葉は永遠に残ります。成熟した言葉というのは、自分の要望を伝えるものではなく、長く未来へつながっていく、社会や人の時間軸に載せていくものなのかもしれません。

言葉を用いて、人と接して、その人に自分の言葉を「種」のように蒔いていく。いつしか発芽するものもあれば、そうでないものもある。

そうしながら、自分の体験が、世界の共有財産とされていくこと。それが、言語の持つ究極の役目、力なのだと感じています。


「月が綺麗ですね」。夏目漱石は「I love you」をそう訳したと言われています。信憑性は定かではありません。ですが、直接的な感情ではなく、何か自然物を介して愛を伝えようとするこの情景に、共感を覚えた人は多いのではないでしょうか？

大切な人に愛をささやこうとするとき、あなたの言葉からどうしても抜け落ちてしまう繊細な何かがある。だから月に投影して愛を伝えようとした。そしてその言葉が、その周りにある表現しきれない不定形な気持ちまで、不定形なありのままを伝える。そう感じたのではないでしょうか。


まだ自分でも言語化できていないものまで相手に伝えたいと願う。そのとき、やはり人は言葉を超えた何かを伝えたくなるのではないかと思います。

そうして、人のことを知り、人に期待せずに、でもあきらめずに伝えたその言葉が、思いもよらない驚きとして、時代を経て返ってくる。そんな奇跡のために、私たちは言葉を学び、用い、言葉に助けられながら生きているのかもしれません。

最後に、この本を執筆するにあたり、打ち合わせを通して言葉の奥深さを教えてくださったCCCメディアハウス書籍編集部の田中里枝さん、言葉についての私の内省に根気よく伴走いただいた作家エージェントの渡辺智也さん、本当にありがとうございました。お二人と本を通じて言葉を使った繊細な創造ができてしあわせでした。

本書が、皆さんの内面を探り、自分の言葉を探っていくきっかけになれば。そして、ご自身の人生をより豊かにするものになるならば、私は嬉しく思います。

2023年3月

SHOWKO

著者

SHOWKO（ショウコ）

陶芸家／SIONE主宰／スプリングショウ代表取締役

京都で330年続く茶陶の窯元「真葛焼」に生まれる。佐賀での陶芸の修行を経て、2005年、京都で自身の工房をスタート。2009年に法人化し、「読む器」をコンセプトにした陶磁器ブランドSIONEを立ち上げる。銀閣寺の近くに直営店をオープンし、ミラノ、パリ、中国、台湾、他、活躍の幅を世界に広げている。

また、京都の老舗企業「福寿園」をはじめとする、他社の新規事業立ち上げや、ブランディング、コンサルティングも手掛ける。コラボレーション制作に、「すかいらーく」、枢やな氏による漫画作品『黒執事』（スクウェア・フェニックス）、ゲーム『文豪とアルケミスト』（DMM）、「ワコール」他。現在は、工芸の哲学を活かしたコーチングなど、「いま」を生きる人々の人生を心地よく幸せにしていく事業にも注力している。

メディア出演・掲載も多く、ドキュメンタリー番組「セブンルール」（カンテレ・フジテレビ系）の出演で注目を浴びた。著書に累計4万部（2023年4月現在）の『感性のある人が習慣にしていること』（クロスメディア・パブリッシング）がある。

Twitter　@SHOWKO_

Instagram　https://www.instagram.com/showko_/

SHOWKO　https://www.showko.jp

私《わたし》らしい言葉《ことば》で話《はな》す
自分《じぶん》の軸《じく》に自信《じしん》を持《も》つために

2023年5月16日　初版発行

著　者　SHOWKO
装　幀　渡邉民人(TYPEFACE)
装　画　中村眞弥子／冬いちご
本文デザイン　谷関笑子(TYPEFACE)
編集協力　ランカクリエイティブパートナーズ
校　正　円水社
印刷・製本　新藤慶昌堂

発行者　菅沼博道
発行所　株式会社 CCCメディアハウス
〒141-8205　東京都品川区上大崎3丁目1番1号
電話 販売 049-293-9553　編集 03-5436-5735
http://books.cccmh.co.jp

ISBN978-4-484-22235-6